C

LETTRES AU PETIT B.

DU MÊME AUTEUR
à la Librairie Arthème Fayard

Le Grand Meaulnes, Édition du Centenaire.
Lettres à sa famille, Avant-propos d'Alain Rivière, Édition
  revue et augmentée.
Miracles, poèmes et proses.

ALAIN-FOURNIER

LETTRES AU PETIT B.

Edition revue et augmentée

Publié avec le concours du
Centre National des lettres

FAYARD

Avant-propos

Lorsqu'en 1930, Isabelle Rivière choisit quelques lettres d'Alain-Fournier adressées au mystérieux « Petit B. » pour les publier chez Émile-Paul, elle n'avait alors d'autre but que de compléter la déjà si abondante correspondance de Fournier avec Jacques Rivière et « d'éclairer comme d'un rayon oblique », écrivait-elle dans le *Prière d'insérer*, cette correspondance même que ces lettres pouvaient « expliquer, compléter, enrichir d'une couleur et d'un frémissement nouveaux ».

La personnalité même du destinataire, Isabelle Rivière préféra alors la laisser dans l'ombre à cause sans doute des circonstances qui entourèrent sa mort et dont elle ne voulait pas rouvrir le douloureux débat.

Pourtant, fidèle à la piété qui l'anima toute sa vie, la veuve de Jacques Rivière conserva précieusement tout ce qui provenait du « cher petit compagnon » et qui formait une liasse assez importante de lettres et de manuscrits.

Quelques années plus tard, en 1939, elle céda au désir qu'on éprouvait de mieux connaître René Bichet et elle laissa publier chez Émile-Paul un choix de poèmes qui s'ajoutaient à ceux publiés de son vivant dans la N.R.F.

Aujourd'hui que le temps a fait son œuvre, et avec l'accord des descendants de René Bichet, nous avons cru de notre devoir de ne plus laisser ignorer le visage de l'ami qui avait inspiré à l'auteur du *Grand Meaulnes* quelques-unes de ses plus belles pages. On verra que ce n'était pas un hasard si Henri avait choisi de dire à celui-ci plutôt qu'à tel autre ce qui alors comptait pour lui plus que tout au monde.

Ce sont à leur tour des lettres de Bichet que celles d'Henri vont maintenant s'éclairer « comme d'un rayon oblique » et que leur sens s'approfondit d'être la réponse d'une confiance si limpide exprimée dans un ton si voisin du monde intérieur de Fournier.

Plus encore, trompés par le dialogue avec Rivière qui semble tellement peu souffrir le partage, nous ne nous doutions pas, malgré quelques allusions passagères et parfois même un peu méprisantes, de l'importance qu'avaient les autres voix dans ce concert d'amis. Car, au-delà de Rivière, il y a Bichet et André Lhote dont nous découvrons seulement maintenant la « partie » complémentaire, celle d'André, haute en couleur et en véhémence, celle de Bichet toute de frileuse finesse. Dans la correspondance intégrale publiée par ailleurs entre Fournier, Rivière et André Lhote, la place de Bichet est presque constamment sous-entendue, et c'est pourquoi il a été impossible ici de dissocier le dialogue avec Fournier de celui avec Rivière et avec Lhote, au moins pour ce qui nous est resté de leurs lettres. On trouvera donc, en plus des 15 lettres déjà publiées d'Alain-Fournier et en plus des 14 autres lettres et billets de Fournier jusqu'alors inédits, 45 lettres de Bichet dont 12 à André Lhote, 30 à Rivière et seulement 3 à Fournier ; enfin 5 lettres de Rivière et 6 d'André Lhote à Bichet ; en tout, 80 lettres croisées entre les quatre amis, qui constituent l'échange le plus soutenu et le plus amicalement viril qu'on puisse rêver entre quatre jeunes gens du même âge et d'un âge si tendre.

Pour compléter cet étroit tissu de sentiments, de recherches et parfois d'affrontements, nous n'avons pas exclu les courts essais poétiques de Bichet soumis par lettre à la critique de ses amis, et nous avons reproduit en appendice les six textes publiés dans la N.R.F. de 1909 à 1911.

Il nous semblait ainsi restituer à Bichet tout ce à quoi son

attachante personnalité avait droit. Qu'il paraisse enfin
aujourd'hui à visage découvert devant le public qui a aimé
Jacques Rivière et Alain-Fournier, nous sommes sûrs que ses
amis n'auront pas à rougir de lui, mais qu'ils en seront encore
eux-mêmes grandis d'avoir accordé tant d'attention et d'affec-
tion émue à leur « petit poète ».

Alain Rivière.

1.

Fournier à Bichet

31 juillet 1906, La Chapelle d'Angillon (Cher)

My Dear.

Je suis ravi de ton succès [1].

Tu m'aurais tellement dégoûté d'avoir sacrifié tant de choses à ça, et de n'avoir même pas décroché ça !

Tu m'aurais tellement dégoûté d'être encore à macérer en cagne, l'an prochain, souffreteux et rabougri.

Donc je t'estime un peu plus, d'avoir été reçu — et j'attends ton Gide.

A part Pons [2] que je n'estime pas, mais que j'aime beaucoup, les autres succès me laissent indifférent, plutôt content.

---

1. Henri Fournier avait échoué pour sa part dès l'écrit au concours d'entrée à l'École normale supérieure tandis que Bichet venait d'être reçu à l'oral. Il écrit à Rivière le 3 août : « Je me suis payé l'ironie d'envoyer des cartes de félicitations aux reçus de l'école [...] c'est nous qui nous sommes fourvoyés et qui voulions prendre des places que nous ne méritions pas. La justice s'est rétablie automatiquement. Elle nous exclut. » (JRAF I 308.)

2. Pons. Autre camarade de cagne comme Chotard.

Parle-moi un peu de Chotard et de ceux que tu as vus, dans les brûmes (*sic*) d'émotion de l'examen. Donne-moi des détails sur cet oral.

Dis-moi l'adresse de Pons. Dis-moi, si tu as un Palmarès, quel accessit j'ai mérité.

Moi, je n'ai pas assez sacrifié cette année à l'École.

Comme on dit ici, je me « reprendrai » l'an prochain. Je serai externe, à Louis-le-Grand, probablement.

A c't' Heûre [3], mon chemin de croix est commencé. J'ai sacrifié mes vacances, ma solitude, mes promenades, seul, au bord des bois et des métairies, et tout ce qu'il y avait dans mon encrier de porcelaine à fleurs — à l'espagnol, pour l'examen !

En ce moment, à la table où je t'écris, en face, *Aguilera* [4] lit le journal. Depuis deux jours qu'il est là, je passe mon temps à lui causer espagnol — et il va rester ici toutes les vacances, sans doute.

O sacrifice, amertume, calice !

Pourtant que de belles histoires il raconte sur son pays... les torrents — filets d'eau qui descendent des montagnes, si clairs qu'on ne peut s'empêcher d'y boire, si rapides qu'on y boit en plongeant dans l'eau le bout d'un bambou et en mettant sa bouche à l'autre... les *melopeas* qui ne s'arrêtent jamais, dans les champs de canne à sucre, ou dans les raffineries qui bourdonnent par toute la campagne comme des machines à battre... les propriétés de sa mère qui n'ont pas de fin, où l'on marche huit lieues sans rencontrer *una casa*... les forêts si sombres qu'il faut des lampes pour y voir... les *boas* qui vous avalent d'un *guleo* et les tigres agrippés dans les arbres qui bondissent sur vous... et puis les guerres d'indé-

---

3. A c't'heûre. Expression paysanne connue de Bichet.

4. Pedro Antonio de Aguilera était un Panaméen en stage en France. Il avait pris pension chez les Fournier et racontait beaucoup d'histoires merveilleuses dont il s'avéra par la suite qu'elles étaient en partie le fruit de son imagination.

pendance ou autres, tous les trois ans, où il était lieutenant-colonel à 17 ans et où les soldats les plus terribles sont les gamins de 8 et 10 ans qui tuent, la poitrine nue...

Il y a huit jours, je n'aurais pas pu causer avec lui. La fièvre et la fatigue cérébrales m'ont poursuivi jusqu'ici. A l'heure qu'il est je ne puis encore lire ni travailler ni même écouter une longue conversation. J'ai eu plusieurs fois peur d'une fièvre cérébrale ou d'anémie cérébrale.

Je me baigne tous les soirs dans la prairie. Il y a un coude de la rivière où je nage un quart d'heure de suite. L'autre jour, un oiseau est descendu tout près de moi pendant que je soufflais sur la rive. Il faisait de petits mouvements de tête un peu effarouchés, puis il a trouvé une anse où boire. C'était un pigeon. Il a bu longtemps puis s'est envolé. Je pensais le voir se percher sur le faîte d'un arbre de la rive ou sur le toit d'une ferme voisine. Mais il est monté très haut, puis il a volé si loin et si longtemps que je l'ai perdu de vue à l'horizon. J'ai compris que c'était un pigeon voyageur... Émotion... Mélinant [5]...

Je ne puis pas lire.

Je suis allé visiter un moulin, dans un pays où je suis quasi né, où le bourg est si petit qu'il est enfermé avec la place publique dans une haie d'aubépine. Tout cela si embryonnaire qu'il faut passer la haie comme si l'on entrait dans un jardin, pour voir que c'est un bourg, puisqu'il y a une école dans une ancienne boutique de maréchal-ferrant, une boîte aux lettres au mur sous un cep de vigne, et trois commères qui font des chemises à l'ombre des trois tilleuls [6].

---

5. Mélinant, correctement : Mélinand, était le professeur de philosophie de Lakanal. Son enseignement marqua beaucoup ses élèves. Rivière et Fournier lui gardèrent longtemps une grande reconnaissance et Rivière lui écrivit en 1905 après son échec au concours pour lui demander conseil sur son orientation. Voir sa réponse dans JRAF I 41.

6. Il s'agit du Gué-de-la-Pierre, premier poste d'instituteur de M. Fournier, père d'Alain-Fournier. Celui-ci s'y maria avec Albanie Barthe de La Chapelle d'Angillon, village voisin.

Avant-hier, dimanche, je suis allé à l'assemblée de Presly-le-Chétif dans une carriole avec, sur mes genoux, une petite fille de mes amies qui tenait une ombrelle grande comme un champignon. Il y a avait des marchands de berlingots, des baraques, de la limonade, des filles en blanc et rose avec les mains noires des gars du bal sur leurs corsages ; une clarinette et un violon — puis, dans les auberges, venus de loin avec leurs juments, timides et grossiers, frais amidonnés, les fermiers à qui l'on offre à boire et qui demandent qu'on « guerniaise leur té aux poules » (qu'on mette un grenier au-dessus de l'étable aux poules).

Je vais faire des photographies. Mais je n'aime pas les photographies pittoresques. Je ne ferai que des photographies de bottes d'oignons et de blé et de betteraves, pour mon père. « Sans nitrate de soude », « Avec nitrate ».

Tes vers [7] — je ne vais pas te répéter pour la Xe fois que je les trouve trop faciles, trop dilués, trop jolis au hasard des trouvailles. Mais il y en a d'exquis, qu'il faut envoyer à *Vers et Prose*. Tu sais, les pièces que j'ai dites. Je ne crois pas qu'on les accepte sans protection, mais il faut risquer ça : Paul Fort se pique de désintéressement et d'entier dévouement à la Poésie. Envoie-les avec une lettre courte, simple, et courtoise.

Écris-moi, comme tu dis, de temps à autre — et même davantage.

H. Fournier

Lis Claudel et parle m'en. Plus je m'enfonce dans les champs et la terre, plus je vais, plus je sens qu'il est grand —

---

7. René Bichet écrivait des vers et les envoyait à ses amis comme Fournier le fera aussi très souvent.

et aussi plus je lis toute cette littératurette de la comtesse ou
de Mme Blanche je ne sais comment [8]. Ça d'un côté, ces sen-
timentaleries de pensionnaire — et de l'autre les romans —
feuilletons de Daudet, Balzac... larmoiements ou grossièretés,
sans manquer une circonstance sociale et municipale.... Je ne
vois que ça — Flaubert ? Flaubert ? Que reste-t-il ? Qu'y
avait-il dans cette fin de siècle si bruyante ? A part nos deux
ou trois purs poètes ?

                                                        H. F.

---

8. Alain-Fournier écrira le 3 janvier 1911 dans son courrier littéraire de
Paris-Journal : « Jean Dominique est la signature de Mme Blanche Rous-
seau lorsqu'elle écrit des vers. Jean Dominique depuis longtemps se tai-
sait... Il donne aujourd'hui dans la *Nouvelle Revue Française* trois
poèmes... »

2.

Fournier à Bichet

Mercredi 28 août 1906

Mon cher petit Bichet,
Que fais-tu, petit veinard ?
Dois-tu assez fleureter, rimer, lire et relire des *Visages Émerveillés* [1] ?
Combien de Petites Filles as-tu sauvées des couleuvres, dans les ajoncs du Loiret ?

Cependant que, pauvre de titres, de science, d'amour et de cervelle, j'ingurgite, par les sentiers solognots, du phosphore et de l'espagnol.
— Ma tête a repris, à peu près, son équilibre. Je n'ai plus peur de la nuit, des lampes, ni des livres.
— Je comprends admirablement l'espagnol — et le parle quelque peu.
— Entre ces deux exercices, je fais des lieues et des lieues sur des chemins couverts d'aiguilles de sapins. Je continue à fréquenter les assemblées. Et j'écris quelque prose.

---

1. *Le visage Émerveillé*, roman de Mme Anna de Noailles, paru en 1904.

J'ai une envie folle de me remettre dès maintenant au « Programme ». Mais j'hésite. La tête me tourne encore au moindre effort intellectuel un peu prolongé.

J'ai demandé et reçu les *Nourritures Terrestres* de Gide [2]. Dans son évolution, cela tient la place que voici : « Arrêt d'un instant ! je suis fatigué des paradoxes, de tous mes périlleux exercices de pensée, de toutes mes ironies. Après avoir nié le monde et m'être réfugié et perdu dans ma pensée, je veux m'abîmer dans le monde et dans la vie, aimer Dieu qui est partout et surtout dans les choses, l'aimer de tous mes désirs, de toutes mes soifs, de toutes mes faims... »

« Et cet exercice fini, Nathanaël, Nathanaël qui n'est que moi-même, jette ce livre où je me suis efforcé de prendre une attitude devant la vie. Je n'ai pas à te conseiller, à me conseiller cette attitude. Je lui préfère celle que, dans un instant, je vais prendre, et que je ne connais pas encore. »

Une automobile est passée d'un bout de la grand-route à l'autre, avec un hurlement plaintif de sirène. Je pense au soleil et à la poussière. Je n'ai pas envie d'écrire et je n'écris que pour que tu ne sois pas fâché.

Mon père est avec Pedro Antonio de Aguilera dans les rues de Bourges, où « la chaleur sort des pavés » (expression d'ici et peut-être d'ailleurs). Ils vont visiter la Cathédrale et passer devant la statue de Jacques Cœur vidant un sac d'écus. Elle est sur une petite place déserte où donne le palais Jacques-Cœur et un jardinet de photographe avec son étalage. Autrefois, j'ai entendu raconter son inauguration qui fut un spectacle si émouvant et si extraordinaire pour tous ceux qui

---

2. *Les Nourritures Terrestres*. A ce moment où Rivière et Fournier sont sous le coup de leur découverte fulgurante de Claudel, celle de Gide ne peut que mettre quelque temps à s'imposer. A Rivière, Fournier écrit le 3 septembre 1906 : « A une première lecture m'ont choqué certaines rhétoriques et, faut-il le dire, ce sensualisme si différent du mien. » (JRAF I 338)

sont venus de tous les pays. « Il y avait du monde jusque... »
A cinq ans, en me promenant à Bourges, j'étais très ému
d'être sûr qu'elle était là, mais j'étais trop petit et trop distrait
pour l'avoir remarquée. Je l'ai vue pour la première fois en
revenant au lycée, derrière la charrette de football : petite
place ; grille comme à une tombe, herbe, étalage du
photographe.

J'ai pensé à toi, à t'écrire. Lorsque Aguilera partait à Bourges je lui ai dit : « Ah ! mais vous allez me rapporter quelque
chose ! .... ? .... ? — Tenez... un journal... » Ici, comme au
lycée je n'ai rien que le *Petit Journal* et la *Petite République*.

Je vais lire, quoique ce soit bien rébarbatif *Autour d'une vie*,
de Kropotkine... Un reste d'anarchisme.

Les *Nourritures Terrestres* ainsi définies auraient dû
m'enthousiasmer.

Pas tout à fait. D'abord c'est uniquement, uniquement sensuel. Bien sûr, il y a le symbole initial, ou plutôt non, il n'y a
pas de symbole : c'est uniquement sensuel. Tu verras ces balbutiements d'hymnes à la soif, au désert qui donne soif.

« Les plus grandes joies de mes sens, ç'ont été des soifs
étanchées. »

Alors, je te connais assez, pour savoir que, les petites révol-
tes de ton goût Bernésien apaisées, tu vas adorer cela. Et tu
me connais assez pour savoir que je diffère pas mal de toi.

J'ai été choqué aussi, à une première lecture, par quelque
rhétorique.

— A une seconde lecture, que je commence, je retourne aux
notes de voyages de la fin, sur Biskra, le désert, et les oasis.

« De la troisième, que dirai-je ? Elle était encore plus
belle. »

« Désert d'alfa, plein de couleuvres. » C'est à pleurer de
désir d'y aller, d'y souffrir, d'y avoir soif !

Je retourne à *La Ferme*, louanges à la ferme normande. Sensuelles seulement sensuelles... mais si exactes qu'elles me
prennent au cœur.

— Et puis, c'est plein de rondes, de ballades, informes, lais-

sées, reprises, abandonnées — comme d'un Francis Jammes
en face d'un manuel de philosophie.

« Ballade des Preuves de l'Existence de Dieu. »

« Ballade des Biens Immeubles. »

Pons ne m'a pas écrit. Je suis sans nouvelles de Gueniffey.
Rivière est aux manœuvres. Son article sur Claudel s'achève.
Il n'en est pas ravi. J'espère qu'il ne va pas pousser la timidité
d'expression jusqu'à l'impersonnalité de ses articles. *Jude
l'Obscur* finit de l'enthousiasmer pour Th. Hardy [3] — Tu
aurais bien pu, toi, t'acheter *Tess* !

Je te communiquerai, si tu veux (pour 0 F 50) les *Nourritures Terrestres*. — Je t'indique le prix pour que tu saches ce
qu'il te coûtera de me passer un de tes bouquins neufs.

Je continuerais bien. Mais tu es si heureux d'être normalien
qu'une lettre ne peut guère augmenter ta joie. A quoi bon me
fatiguer ?... Et puis il y a encore beaucoup de choses sérieuses
dont on ne peut pas encore causer devant toi.

Ah !... j'ai lu *La Guerre des Mondes* [4]. Ça vaut tout ce que
j'ai lu de lui. Ce n'est ni par la science, ni par la philosophie
que valent les Wells. J'y remarque surtout le contraste saisis-
sant et inoubliable entre l'ordinaire, quotidienne, séculaire
vie terrestre et l'insolite extra-terrestre. Par moments cela
éclate... et c'est d'une saveur unique. (... le tintement comme

---

3. *Jude l'Obscur* (1895) et *Tess d'Urberville* (1891), deux romans de Thomas Hardy que le professeur Mélinand avait vivement recommandés à ses
élèves et qui marquèrent profondément Alain-Fournier. Voir JRAF I 110 :
« C'est plus grand que les plus grands D'Annunzio, que les plus beaux
Tolstoï », avait dit Mélinand, et Fournier écrit à Jacques Rivière le 22 janvier 1906 après la lecture de *Tess* : « Le cours de mes idées en fut quelque
peu changé. Et maintenant ce personnage de *Tess* est pour moi, autour de
moi, dans ma vie, quelqu'un. » Voir aussi sur *Jude l'Obscur* : 6 août 1906
(JRAF I 310).

4. *La Guerre des Mondes*. (War of Worlds) roman d'anticipation de
H.G. Wells paru en 1898.

d'une pendule entendu soudain sur la lande lunaire... Le
départ pour la lune après une visite à une auberge comme
toutes les auberges « terrestres »). Cette poésie-là est peut-être
un peu trop « exploitée » même, dans les Marsiens on sent
l'artiste, la recherche de l'effet. Mais est exprimée admirablement la difficulté, la presque impossibilité pour la société terrestre, avec son train-train ordinaire, de prendre conscience
d'une intervention extra-terrestre.

Et Wells est un *grand* artiste en fait de tragique. Rappelle-
toi *Les premiers hommes dans la lune*. La mort des Marsiens,
tués par les bacilles terrestres, debout dans leurs grands corps
mécaniques, au-dessus de Londres désert ou apeurés dans les
caves, est d'un admirable effet tragique [5].

— Lis donc du Kipling — *Capitaines Courageux* [6], par
exemple. Cela te donnera des envies folles de faire des haltè-
res, de conquérir le monde et d'apprendre la bicyclette.
— Comme Don P. A. de Aguilera.

— Pithiviers est-il envahi, aussi, par les hyènes et les devins
de Châtenay ?

— Encore que tu ne m'aies pas demandé de conseil, je te
donne celui d'être professeur de grec-latin-français. Tu es né
pour cela.

Et pour devenir une des gloires de *Vers et Prose* [7], où
j'espère te voir prochainement inséré. Tu en es vingt fois
digne ; et si P. Fort est un peu consciencieux, tu le seras.
Mais j'ai bien peur qu'il ne soit accablé de demandes d'inser-
tions et ne regarde que les recommandées. Si tu n'as pas
encore écrit à Paul Fort, peut-être vaudrait-il mieux t'adresser
à un de ses collaborateurs sympathiques et te faire ainsi
recommander à lui. Mais tu as sans doute déjà écrit. Envoie-

---

5. *Les Premiers Hommes dans la Lune.* Autre roman de Wells ; mais la
mort des Marsiens tués par les bacilles terrestres appartient à *La Guerre
des Mondes.*

6. *Capitaines courageux.* (Captains Courageous) de Rudyard Kipling,
publié à Londres en 1897.

7. *Vers et Prose,* revue trimestrielle de littérature fondée en 1905 par
Paul Fort et pour laquelle les amis de Lakanal faisaient de la publicité dans
leur entourage.

moi de tes nouveaux vers. Tu me feras grand plaisir. Il me
revenait l'autre jour des vers qui m'avaient plu, de « Dans la
forêt où l'ombre a lentement tourné » et ma sœur les admirait
beaucoup.

Juste, très juste — les formules que tu as trouvées sur Claudel et le symbolisme. Mais je ne puis guère t'y répondre, il
faudrait te répéter ce que j'en ai déjà dit à Rivière, et je n'ai
pas ma tête assez à moi pour trouver autre chose. As-tu *Connaissance de l'Est* ? Rivière m'en a copié un passage, « La
lune », qui me donne une émotion si crue, si ancestralement
intime que c'est presque de l'effroi [8].

Écrivez-moi vite, en vous souvenant, jeune homme, que
personne, si ce n'est Rivière — et pas même Gueniffey — n'a
jamais reçu de moi plus de quatre pages de lettre.

---

8. *Connaissance de l'Est*, premier livre publié par Paul Claudel (1re série
en 1900, 2e série en 1907) ; consul de France en Chine pendant plusieurs
années, Paul Claudel y décrit les paysages et les gens qui l'entourent.
« Je crois bien être, à l'heure qu'il est, au cœur de Claudel, écrit Henri à
Jacques le 5 août 1906, [...] son livre est mon seul secours contre le vide
fiévreux qui me désespère. » (JRAF I 306), et le 22-08-1906 : « Dans
Claudel il y a tout. » (JRAF I 321)

3.

Fournier à Bichet

31 août 1906

Dearest,

Merci de ton cadeau et de tes (courtes) lettres.

— Je t'envoie Gide et Prozor. Je me figurais *Peer Gynt* un voyage à la recherche de sa personnalité. L'étude de Prozor, pas nulle, augmente mon désir de lire.

— Tes vers — sur la pluie. D'abord ils me semblent, après ce que j'ai lu de toi, nettoyés, désencombrés de tout ce qui — pour enjoliver, subtiliser, compléter — anéantissait l'impression. Maintenant, après ces félicitations à un écolier qui a fait des progrès, il y a des vers tout simplement très beaux et des trouvailles exquises — et rien d'inférieur ou qui dérange la marche de la pièce — décidément très achevée. Voilà des compliments que je t'ai rarement octroyés. Frétille !

Vers tout simplement, etc. : les 3 du début.

La 4e strophe (à part « lassées » que ma sœur dit usé).

La 3e et la 5e — « s'étirent » : bien.

La 3e et la 8e — « regarder bondir l'averse » : bien.

Trouvailles exquises — : Toute la fin et surtout « le scapulaire de Notre-Dame-des-Flûtes et des Verveines... »

Maintenant, à un cuistre comme toi, je suis obligé de dire
que les Christ, les miserere, « tous les chemins s'en vont... »,
... c'est à Verhaeren. C'est tant pis, car tout le reste est très
personnel, malgré que ce soit d'allure très Verhaeren, ou plutôt de sentiment très Verhaeren. Toute cette vague lamenta-
tion monotone (très bien les rimes par 3) avec à la fin ce
retour sur l'amour et le soleil passés « rêvant dans le cœur de
l'armoire ».

— J'aime tes titres de projets. Travaille et bourre tes tiroirs
avant d'envoyer à Fort.

— Ne peux-tu pas encore extorquer 5 F à ta famille. Tu me
comprends. Ah ! cette extraordinaire description du rêve au
début de « La Lune ».

— Je me figure Rivière, écrasé sous son sac [1], tombé au
soleil, au 100ᵉ kilomètre de ses manœuvres qui doivent en
durer 280 : je suis sans nouvelles de lui et jamais les routes
n'ont été aussi aveuglantes.

— Ma sœur va te copier « Le Clair de Lune » [2]. Veux-tu
l'accompagnement aussi ? (Menuet).

— Je t'enverrai du Rossetti traduit pour te remercier de ton
Eschyle.

— Je crois que le comique de Twain est surtout d'expression (anglo-américaine) — perdu dans la traduction —, d'allusion — qui peut échapper aux non-avertis — avec ça c'est de
l'humour, c'est-à-dire que ça vaut par l'absurde, l'inintérêt (*cf.*
Para) et surtout que ça s'étale interminablement sans récom-
penser l'attente impatientée du Français par un mot de la fin.
J'ai lu de lui, dernièrement *Le Duel de Gambetta* qui est une
inénarrable bouffonnerie. — Et je ne puis oublier l'inintéres-
sant et prodigieux *Tom Sawyer*, tout rempli d'attitudes et
d'intonations vous gonflant d'un rire qui n'éclate jamais.

---

1. Rivière faisait alors une période militaire en Gascogne.
2. De Verlaine, mis en musique par Gabriel Fauré.

On va donner à l'ancien Théâtre Antoine, le *Panthéon-Courcelles* de Courteline avec musique de Claude Terrasse. Yours affectionately.

H. F.

Monsieur Bernès (oui, Monsieur Bernès [3]) me conseille de faire ma licence en même temps que la cagne dès la rentrée. Crois-tu qu'en un an pour l'allemand... ?

_____

3. M. Bernès : professeur à Lakanal.

4.

Bichet à Fournier [1]

9 septembre 1906

Mon plus que cher,

J'ai, par cet après-midi de dimanche, une grande joie et aussi un repos à t'écrire ; je suis un peu fatigué en effet, fatigué de corps et surtout d'esprit, ayant énormément travaillé la semaine dernière, tandis que j'étais tranquille. Je traverse une crise de sensualité, si j'ose dire, à cause du soleil effroyablement blanc, des matins qui soulèvent, et des tombées de nuit où vraiment, sincèrement, on ne désire plus rien qu'une petite étreinte de manches claires. J'essaie d'écrire quelques vers là-dessus, le plus rêveur et le plus monotone que je puisse ; c'est bien difficile, je n'en ai pas la force encore. Ce que je t'envoie plus loin se rapporte à une grande révélation d'amour que j'ai eue récemment pour la Terre qu'on ne voit pas, le Dessous et le Dedans de la Terre ; je creuse ce sentiment.

1. Cette lettre de René Bichet, retrouvée après la publication des *Lettres au petit B.* en 1930, a été publiée avec ses poèmes dans une édition Émile-Paul de 1939. Elle est précieuse pour la compréhension de la lettre suivante d'Alain-Fournier qui est sa réponse.

Tu devines mon opinion sur « Gide » : des pages que
j'adore, qui fondent comme des fruits, qu'on ne peut presque
pas lire entières parce que, comme il le remarque lui-même,
on ne peut pas sentir toutes les voluptés : autrement sensuel,
ça va de soi, que les pauvres litanies jardinières de la Comtesse... Cependant, dans l'ensemble, quelque chose m'agace :
une sorte de truquage, dirais-je, plutôt que de la rhétorique :
truquage qui serait excellent si d'abord il ne venait pas après
de belles protestations de sincérité et s'il servait à mieux rendre l'impression ; mais est-ce toujours le cas ? « La Ferme »,
— oui, d'une sensation crue et délicieuse.

Je te renverrai tes deux livres (la brochure de Prozor n'est
pas mauvaise) cette semaine ou l'autre ; pas trop pressé,
j'imagine ? Merci infiniment pour tout ce que tu m'as
adressé, et merci à ta sœur, à qui je m'en voudrais de demander l'accompagnement aussi.

Pendant que j'y songe, mes vers. Et laisse-moi te dire
d'abord que je n'ignore pas que les Crucifix et les chemins
sont à Verhaeren, que je me rappelle parfaitement le :

« *miserere par les grands soirs et les grands bois* » ;

mais mes chemins à moi et mes miserere, et le reste, ne cherchent pas du tout à rendre la même impression d'effroi gigan-
tesque ; et si j'ai dit « Tous les chemins vont aux champs »
cela ressemble tellement peu à « tous les chemins vont à la
ville », que c'en est quasi le contraire.

Ronde des plus beaux jours.
Peut-être que la Rue est pleine de cris, de hoquets et de
jurons comme un sarment qui craque. Mais je sais des Paroles
plus douces que le raisin fané qu'on retrouve à Noël pendu
contre les solives ; je sais aussi des mots terribles, si profonds
qu'on ne s'entend pas les dire et qu'après les avoir dits on est
étonné de vivre encore.

Peut-être que le soleil brûle à pic dans les blés. Mais je sais
une chambre close ; on se couche pour rêver, peu à peu l'on

s'endort, et quand on se réveille, entre les cils agrippés, ah ! le jour danse, le jour se mêle au jour, blanc comme des draps qui flottent ; s'assoupir, s'éveiller, deux secondes où je ne suis plus que des yeux qui se collent, puis qui s'ouvrent, et entre lesquels il y a la vie puisqu'il y a la mort.

Peut-être que nous sommes las des vergers où la lumière clignote, des fruits, du sucre, de la germination. Mais je sais un sentier creux entre la plaine et les bois, un sentier entre la plaine et les ronces dans les houblons ; l'Ombre y est si mouillée qu'elle baigne de fraîcheur, et la nuit si longue qu'à l'Aurore on ne se souvient plus du Couchant.

Et peut-être que tout cela — mais je sais un endroit secret et merveilleux : c'est la Terre, chaude par-dessus, mais quand on est dedans froide, ah ! froide, et collante.

L'Ensevelissement

> ... Et le premier jour de la semaine, étant parties de grand matin, elles arrivèrent au sépulcre au lever du soleil.
> (Saint Marc, XVI,2.)

Puisqu'il est tombé, mort
Comme une pierre
Qu'on jette dans l'eau qui dort,
Écoutez ! j'ai choisi le lieu,
Et l'heure — un matin de dimanche —
Et le lieu, vous dis-je ! une vallée
Où se croisent les fils de Vierge de branche en branche
Et les fruits sont dans les échancrures des branches.
Je l'ai voulu ainsi,
Qu'il y ait de l'ombre
Et que sur l'endroit de sa tombe
Se bousculent les fleurs des prairies,
Afin qu'il pense encore à l'orgueil de la vie
Et que ses yeux bourrés de terre aient envie
De se rouvrir.

Vêtues de la joie des choses quotidiennes
Et heureuses d'avoir, sous la bure et la laine,
Le dos courbé par l'habitude des outils,
Deux femmes partiront avant l'aube. La nuit
Alourdira les pas des sabots, et, cachant
Les détours des ornières contre les épaules ;
L'ondée de ce matin tombera dans les saules,
Et la lune des jours d'automne où il a plu
Fera l'ombre plus longue et l'herbe plus touffue.
Vous ne pleurerez pas la Chose qui est morte
Comme on pleure, en partant, les marches de la porte
Femmes ! Vous ne direz de lui ni bien ni mal,
Et je défends qu'on pose l'outil contre un arbre
Pour, la main sur la hanche, en retenant son souffle,
Rêver tout haut les souvenirs que nul n'écoute.

Mais, arrivées là-bas
Quand le soleil ouvre ses palais de fête,
Que la pelle et la bêche
Travaillent
Jusqu'à l'heure du Grand-Souffle
En crissant contre les rocailles :
Car il faut qu'il gise plus profond
Que les sources et les racines,
Loin du tâtonnement rapide
Des mains voleuses de tombes —
Oh ! pour que nul n'ose le profaner,
Pour que le masque d'or ne quitte pas sa face,
Et pour qu'il ait, tout contre lui, la terre grasse
Où il n'y ait droite ni gauche, loin ni près,
Mais partout la rumeur, comme un beau rouet grave,
Des larves qui éclosent et des eaux qui passent.

Il m'est arrivé un affreux malheur, j'ai déchiré un grand
coin de « Splendeur de la Lune », je te le rends recopié par
moi, et j'espère que tu ne seras pas trop ennuyé. Je serais,
moi, si fâché de t'avoir fait déplaisir.

Voici un admirable sonnet de Mallarmé :

Ses purs ongles très haut dédiant leur onyx,
L'Angoisse, ce minuit, soutient, lampadophore,
Maint rêve vespéral brûlé par le Phénix
Que ne recueille pas de cinéraire amphore

Sur les crédences, au salon vide : nul ptyx,
Aboli bibelot d'inanité sonore
(Car le Maître est allé puiser des pleurs au Styx
Avec ce seul objet dont le Néant s'honore.)

Mais proche la croisée au nord vacante, un or
Agonise selon peut-être le décor
Des licornes ruant du feu contre une nixe,

Elle, défunte nue en le miroir, encor
Que, dans l'oubli fermé par le cadre, se fixe
De scintillations sitôt le septuor.

Et quatre vers de René Ghil [2] dans « le vœu de vivre » :

Doux les astres au nord et la mer diaphane —
Le Trois-mâts aux grands mâts vers des presqu'îles va ;
Morts les astres au nord et grosse la mer plane —
Le Trois-mâts aux grands mâts dans le port n'arriva.

J'ai lu l'autre jour un Portrait d'Infante par Juana Romani (tu sais, la peintresse roumaine) — rêveur, sensuel et triste à vous rendre fou —, et qui m'a, je ne sais pourquoi, rappelé ce Paris nécessaire où je ne serai pas l'hiver prochain [3].

Tu me donneras des nouvelles, je t'en supplie, du Salon d'Automne (qui ouvre le 6 octobre) et des théâtres ; dire qu'il

---

2. René Ghil (1862-1925), français d'origine belge, auteur de *Traité du Verbe*.

3. René Bichet devait faire son service militaire l'année suivante.

y aura *Jules César* chez Antoine, et le théâtre Réjane, et Georgette Leblanc !

Comme tu es heureux de travailler ! Je ne puis toujours pas, vivant à la fois dans une tension et une inertie exagérées. Pour l'allemand, me demandes-tu ? Tu sais cependant bien que jamais je n'ai été capable de donner conseil à personne ; si, à la licence, on ne demande que de la grammaire et un vocabulaire restreint, oui, tu peux, à condition d'apprendre les verbes irréguliers ; s'il faut lire beaucoup, ou écrire, ou parler, je doute. — En tout cas, je crois que Cavalié (gâteux, il est vrai, ce qui n'est pas ton cas) s'est mal trouvé de courir à la fois l'École et la licence ; il faudrait, me semble-t-il, s'occuper surtout de cette dernière pendant les quatre premiers mois par exemple, et puis n'y plus penser que pour un ou deux exercices. Ah ! pour l'oral de l'École, quand j'y pense, apprends des choses précises : un type a lamentablement séché sur les articles de versification publiés récemment par Sully-Prudhomme, et Guiraud m'a demandé à qui appartenait l'emplacement du grand autel de Lyon dédié Romae et Augusto.

Envoie-moi le « Clair de Lune » et du Rossetti, n'est-ce pas ? Tu n'auras jamais été aussi gentil.

René Bichet.

5.

Fournier à Bichet

Le 20 septembre 1906

Mon Cher,

Je n'ai pas pu t'écrire ces temps derniers : je gagnais la fièvre et le délire rien qu'à m'installer sur cette chaise, dans cette classe où la chaleur obscure (Théorie Bichet) rayonnait, et où, maintenant, j'éternue !

La pluie, le brouillard et le froid de ces jours-ci m'ont un peu rafraîchi la tête. Et pourtant, *je ne suis pas encore guéri.* J'envisage avec une angoisse croissante à mesure que s'achève le mois de septembre, la possibilité d'un retour à Paris avec cette tête en capilotade. Or, je dois partir jeudi prochain retenir « l'appartement [1] ». D'ici là, je voudrais ne me nourrir que de kilomètres, de lait pris dans des fermes ignorées, et de paysages. Je voudrais faire complètement chômer pendant huit jours ma pensée.

Après, le traitement homéopathique (Théorie Fournier) par la reprise d'un petit travail régulier ne peut donner que d'excellents résultats.

---

1. L'appartement parisien où Henri Fournier, sa sœur Isabelle et leur grand-mère Barthe devaient s'installer pour la rentrée d'octobre. Ce sera le 60, rue Mazarine où il resteront jusqu'à l'arrivée à Paris des parents Fournier en janvier 1908.

Je vais donc me contenter de *répondre* à ta dernière lettre :

Mais, d'abord, quelques nouvelles :

Gueniffey [2] va débarquer en novembre — étudiant libre à Paris. Veine ! Il me conjure de plaquer Louis-le-Grand, qui n'est qu'un autre Lakanal, et de préparer librement l'École en suivant les cours de licence à la Sorbonne. A quoi je vais répondre que, tout de même, j'espère acquérir encore pas mal à Louis-le-Grand — que je préfère être pris dans l'engrenage d'une classe organisée, à condition d'y être pris un peu en considération — et que, après tout, ce me sera une vraie joie, si ces bonshommes me rasent, de les plaquer pour la Sorbonne, après un mois d'essai.

— Rivière m'a envoyé la première partie de son article sur Claudel [3] : « L'Art ». J'en ai aimé jusqu'à l'émotion la délicatesse, la passion, l'amour — et surtout la compréhension. L'allure dissertative, qui devait me choquer, est, je trouve, un charme de plus : c'est un véritable tour de force qu'une dissertation claire sur un génie aussi immensément confus, au premier regard, que Claudel. Cela change des articulets aussi vides qu'hermétiques, quotidiennement pondus au *Mercure* ou ailleurs, sous prétexte d'expliquer des poètes obscurs. Vraiment, et je ne crois pas être aveuglé par mon attachement pour l'auteur, il y a là toute la force de pensée dont Rivière est capable, et toute la délicatesse de l'Amour et une précision de style, extraordinaire et splendide, que je connaissais à Rivière, mais qui vient de gagner, au contact de Claudel, toute sa vigueur et tout son éclat.

J'attends l'article complet, ces jours-ci, les manœuvres étant finies [4].

---

2. Raphaël Gueniffey, camarade de Lakanal qui avait été reçu à l'ENS.

3. Cet article paraîtra tout d'abord dans la revue *L'Occident* sous le titre « Paul Claudel Poète chrétien » dans les numéros de novembre-décembre 1908 et janvier-février 1909 avant d'être réunis dans *Études* en 1911, pp. 65-118.

4. Rivière, qui fait son service militaire à Bordeaux, participe aux manœuvres de la 35e division.

— J'ai acheté un vieux *Mercure* où se trouvait un magnifique article de Claudel « Développement de l'Église ». Le seul qu'il ait publié au *Mercure* avec, paraît-il, au n° 114 « 3 petits essais ».

Un article de M. A. Leblond — assez joliment réussi — sur le Francis Jammes créole et colonial.

La 2ᵉ partie du charmant roman de Wells : *Love and Mr. Lewisham*.

A présent, quelques questions :

As-tu des idées sur la décoration murale d'une très pauvre chambre d'étudiant ?

As-tu reçu ta feuille d'engagement ? Où es-tu nommé ? Ici, tous les valets de ferme, qui sont mes lointains amis, ont reçu « leur feuille » et s'en vont à Dijon ou à Cosne.

As-tu des nouvelles de Pelléas ? De toutes les vacances, je n'ai vu la reprise annoncée qu'une fois dans *la Petite*[5]. Mais il y a aussi le Théâtre Réjane, Le Théâtre Sarah-Bernhardt, et Chatterton et *Jules César* à Antoine... Mais je serai plus pauvre que jamais, et surtout pauvre de liberté, car pauvre de science et de sçavoir.

Réponses et critiques :

Ma sensualité : je ne connais pas de plus grande volupté que celle-ci : sentir, dans les circonstances les plus hostiles et les plus différentes, monter du fond de mon cœur un souvenir nouveau — si indistinct encore que ce n'est peut-être qu'une impression étrange gardée d'une vie ancienne, ou pressentie — si complexe que c'est encore inexprimablement unique. Quelquefois cela continue à monter, perdant cette complexité qui en faisait tout l'insolite inexprimable. D'autres fois cela reste dans mon cœur et le remplit et l'étouffe — et c'est plus passionnant et plus inconnu que le plus grand amour.

---

5. *La Petite République.*

Moi je m'amuse avec ces images-là. Quand j'aurai assez
d'images, c'est-à-dire quand j'aurai le loisir et la force de ne
plus regarder que ces images, où je vois et je sens le monde
mort et vivant mêlé à l'ardeur de mon cœur, alors peut-être
j'arriverai à exprimer l'inexprimable. Et ce sera ma poésie du
monde.

Et c'est presque toute ma sensualité.

Mais aussi, il y a aussi, « la bien-aimée en rose » — et
d'appuyer seulement la tête sur sa robe, c'est peut-être
comme si on avait tout raconté, tout vécu, tout exprimé.

Mais voilà, quand, comme moi, on a relégué la bien-aimée
parmi les images qui ne sont presque plus des souvenirs et pas
encore des désirs, images qui ne sont belles que de leur
ancienneté et de la lumière de votre cœur, alors il ne reste
qu'à, très sagement, s'amuser à regarder les images...

Tout ceci pour expliquer un peu pourquoi je ne puis plus
ne plus désirer que « de fraîches eaux », « de belles lèvres »,
et, aux tombées des chaudes nuits, « une petite étreinte de
manches claires ».

Je voudrais que ma lettre t'arrive demain matin, je vais
donc abréger, malgré leur importance, ces dernières
réponses :

Je suis maintenant un peu « pressé » de relire Gide paragraphe par paragraphe. Renvoie-le-moi et puis, je pourrai te citer
les passages que je trouve un peu « rhétorique », en les excu-
sant, peut-être.

J'aime *Peer Gynt* [6]. Quel charme ! Habiller ainsi des abs-
tractions et les faire vivre avec tant de bonhomie, de vie et
de folie. Mêler ainsi la vie symbolisée, le symbole et la vie du
symbole. *Faire vivre le drame successivement ou plutôt simultanément à tous les étages de la pensée* (comme disait le vieux
Franck [7] : Ah ! prenez ce que je viens de dire : je le crois très
exact) : car sait-on jamais, en effet, si c'est une féerie pour les

---

6. *Peer Gynt* d'Ibsen. Drame écrit en 1876.

7. Les cagneux de Lakanal avaient eu comme professeur d'histoire de
l'art le fils de César Franck, que les élèves appelaient : « le Père Franck »
et qu'ils tenaient en grande estime.

enfants, une psychologie du caractère norvégien, un conte moral ; une parabole métaphysique — etc. Mais c'est aussi le caractère de tout ce que je connais d'Ibsen : de *Solness* [8] par exemple, où l'on ne sait jamais après tout s'il s'agit d'un architecte ou d'un poète. Et puis, quel charme ! se moquer aussi finement de soi-même, de ses autres drames, de ses autres pensées, et de ce drame-ci, et de celles-ci !

J'aime cette façon de concevoir le symbole, mais j'en préfère une autre, que je te dirai un jour.

— Je n'ai pas le temps d'esquisser une critique de Mallarmé.

Je n'ai que celui de te remercier de m'en avoir copié.

— Ayant eu à ruminer longtemps des difficultés et des ambiguïtés dans les pièces de Rossetti que je devais t'envoyer [9], j'en ai remis au début de l'année scolaire l'envoi.

— La *Ronde des Plus Beaux Jours* [10] est si belle, si belle, si sensuelle, que, longtemps, je n'ai pas su si c'était du Bichet ou du Gide.

— L'*Ensevelissement* — très original et très étrange de donnée et de ton ne m'a pas entièrement satisfait. J'y ai retrouvé quelque chose de flottant ou de diffus dans la description ou dans l'impression. Peut-être le vers libre te gêne-t-il.

Mais je me suis répété jusqu'à l'hallucination les deux admirables vers :

Et partout la rumeur, comme un beau rouet grave,
Des larves qui éclosent et des eaux qui passent.

A bientôt, mon ami, une lettre et des vers de toi.

H. F.

8. *Solness le Constructeur* (1892).

9. Dante-Gabriele Rossetti. Poète et peintre anglais d'origine italienne (1828-1882). Il fut l'un des fondateurs de l'école préraphaélite. Son tableau la « Beata Beatrix » avait profondément frappé Henri Fournier lors de son séjour à Londres et il lui identifia souvent le souvenir d'« Yvonne de Galais ». Rossetti est célèbre aussi par son poème « La Damoiselle Élue » qui fut mis en musique par Debussy (1887).

10. Voir lettre précédente ; il s'agit du poème de Bichet.

6.

Fournier à Bichet

30 novembre 1906

Mon Cher Ami,
Je méditais hier de t'écrire ceci :
« Je n'ai pas assez — comment dire ? — de tenue, de réserve
sentimentale, pour me permettre d'écrire à quelqu'un qui ne
sympathise pas entièrement avec moi. Une correspondance
de moi, dans ce cas, devient aussi gênante pour moi que pour
l'autre. C'est peut-être la raison — du moins, j'ai trouvée
celle-là — de mon silence.
« Il me faut, déjà, t'estimer beaucoup pour te l'avouer,
« et pour m'imaginer que tu ne t'en froisseras pas : songe, en
effet, que je n'ai pu rester isolé plus de six mois avec toi sans
t'avouer que j'écrivais des vers. »

Je me suis décidé à écrire en tête de ceci : « Je méditais...
etc. » après lecture de tes dernières lettres.

J'aurais voulu à propos de ce préambule et comme corol-
laire développer une idée sur « les confidences involontaire-

ment fausses », les choses qu'on arrange par pudeur, mais
qu'on confie par désir d'expansion — désir inexplicable et
d'origine physiologique.

Le témoin, dans ces cas-là, n'est un ami que lorsqu'il fait la
sourde oreille ou — que, par intuition, il rectifie comme il
faut.

C'est ainsi que je ne sais trop s'il est utile que je te conseille
de rectifier un passage de ma dernière lettre sur « la bien-
aimée en rose ».

Il y a aussi le désir — mauvais — de se résumer pour un
nouveau venu.

Il y a aussi les confidences qui sont des cris qui arrachent le
cœur et qui n'ont, dans les cœurs peu faits pour les recevoir,
qu'un écho puéril. Mais ceci ne te concerne pas.

Il y a enfin dans mes lettres, toujours, un ton solennel et
même pompier — dû, peut-être, à ce que, voulant exprimer le
plus exactement et hautement possible ce que je sens, et
obligé à une rédaction rapide, je vais au plus facile, aux premiers mots solennels venus.

Pour me passer cela, il faut beaucoup d'amitié. Pour mettre, sous ces mots, ce que j'y mets sans avoir le temps de
l'écrire, il faut une amitié de longue date, une communion
qui date presque de l'enfance.

Tels sont mes défauts épistolaires. Peut-être te font-ils penser à ceux de Pons.

Et, alors, c'est justement pour cela que je ne puis t'écrire
des lettres de douze pages.

— Je ne puis, si tu y tiens, que me résumer,

— Ou, comme tu en as pris l'autre jour l'initiative, continuons à sympathiser par correspondance comme nous le faisions à Lakanal : sympathisons en Mallarmé, Baudelaire, les vieux poètes de France que tu m'as fait connaître, et les anciens que j'aime à ma façon.

60, rue Mazarine, dans une rue populacière, dans une chambre de l'entresol ; obscure mais à moi, provisoire mais vaguement, par moi, décorée ; pauvre mais, au hasard, d'allure chapelle aux vieux tons rouges et feuille morte. Je vis péniblement.

Je souffre de ne plus voir de feuilles.

Ma tête qu'un travail régulier avait remise d'aplomb recommence à tourner de fièvre.

Louis-le-Grand m'a d'abord considéré comme un phénix en version, plus exactement un « Villemain », un fort en thème, un essayist remarquable en anglais — mais une 1re composition de version ratée vient de me remettre à ma place de Lakanal.

Je ne serai jamais Normalien.

Je suis allé 3 fois au Salon d'Automne.

J'ai retenu :

Guérin — charme.

Laprade. Fin des beaux jours. Amants sur la colline, perdus dans la lumière.

Fenêtres ouvertes d'où s'en vont vers le soir et le jardin du château des chants.

Traits durs des ombres : le reste perdu dans la lumière.

Odilon Redon — Mystères délicats et Japonais.

Une barque de légende, sur la mer, rouge et chargée de trésors et de deux Bretonnes.

Des fleurs, fines.

Carrière — Que dire de ces gestes de tendresse, de ces ges-

tes — et de ces yeux, de ces regards vivants qui, dans l'éloi-
gnement brumeux du reste, ont gardé leur clarté.
Gauguin — Écrasement. J'ai tout aimé à la fin. Mais tu as lu
    trop d'articles là-dessus, pour que je te donne mon impres-
    sion. Carrière peut-être a dit le plus beau de Gauguin, dans
    l'enquête de Morice [1].
Lacoste — Impressions fraîches, claires, tristes. Jammes.
    Interroge-moi sur les autres.

Acheté — *le nouveau Jammes.* « *Clairières dans le Ciel* [2] »
Je l'ai acheté surtout à cause de « Tristesses » :
« ... Elle riait et s'ébrouait avec la grâce
dégingandée qu'ont les jeunes filles trop grandes.
Elle avait le regard qu'ont les fleurs de lavande. »
    — Est-il à moi, est-il à Jammes ce pur grand amour ?
    — Mon cher, il nous faut beaucoup nous débarrasser de
notre ami Jammes.
    — *Charles Guérin. Le Semeur de cendres* [3]. Ça m'a l'air d'un
faible !
    — *Les stances de Moréas* [4]. 3 F à « la Plume » même — neu-
ves — au lieu de 6 F. Je les ai revendues le surlendemain à
Martin.

---

1. Enquête de Morice sur Gauguin. Allusion à un texte publié dans le
Mercure de France XI, 1903, sous le titre : « Quelques opinions sur Gauguin », résultat d'une enquête lancée par Charles Morice à la mort du
peintre. Morice avait été ami personnel de Gauguin. La réponse de Carrière occupe les premières pages de l'enquête (p. 413-414). On y lit notam-
ment : « Son mysticisme était lointain — agité et troublé par un instinct
qu'il ne pouvait vaincre et une éducation moderne à laquelle vainement il
croyait se dérober » (p. 414). Et aussi *(ibid.)* « cette organisation, subtile,
riche en nuances, si neuve d'esprit, souple et violente, mais impatiente
dans sa philosophie, désespéra trop vite ».
2. *Clairières dans le Ciel* paraît en 1906.
3. Charles Guérin (1873-1907), poète français, auteur de *Le Cœur soli-
taire* (1898).
4. Moréas (Jean Papadiamantopoulos 1858-1910), Grec d'expression
française. Les *Stances* comprennent six livres échelonnés de 1899 à 1901.

et — d'occasion — des foules de choses exquises. Dans de vieux *Mercures* et de vieux *Ermitages*.

— Lu — (en partie) *Paludes*[5] — de Gide. C'est mieux qu'exquisement ironique. C'est d'une drôlerie délicieuse. Il faut lire ça. Et c'est une réalisation vertigineuse de la théorie de la post-face sur le livre « qui doit contenir en même temps sa réfutation ».

« *Vers et Proses* » de Mallarmé — envoyé par Rivière — J'y ai retrouvé « La Lune s'attristait. Des séraphins »...

« ... sur mes beaux sommeils d'enfant gâté d'étoiles parfumées. »

Mais je n'aime pas beaucoup, à part quelques vers craquant de sens et de beauté, le sonnet en yx que tu m'as envoyé. C'est trop rien que de l'art. C'est comme son idée de journal de mode. Son idée d'exprimer tout artistiquement : sa chambre et même son porte-plume : idées de type qui en manque. Mais il reste toute sa blancheur...

Théâtre — La vie Publique[6] — Fabre — Antoine —
  La Gioconda[7] — Suz. Desprès — Gymmnase —
  Pelléas —
  2 Colonne —
Il m'est impossible de revenir sur tout cela mais ça me fait penser que :

— à Louis-le-G. — Le prof de philosophie Belot choisit tous ses exemples — musicaux. Il ne cesse de parler de Franck son Dieu et de Debussy qui l'inquiète. Il tâche de l'éreinter et je le réfute dans des lettres à Rivière[8].

— Le professeur d'art — timide et bafouilleur fait des cours sur le Salon d'Automne et les Indépendants.

---

5. *Paludes* (1895).

6. *La Vie Publique*, pièce d'Émile Fabre (1869-1953) fut créée en 1901. Émile Fabre fut administrateur de la Comédie-Française de 1913 à 1936.

7. *La Gioconda*, pièce de D'Annunzio (1863-1938), fut jouée pour la 1re fois en 1899 par Eleonora Duse.

8. Voir lettre à Jacques Rivière du 19 novembre, JRAF I 401.

— Le professeur d'anglais — sur Rossetti et les P.R.B. [9].

— Mais il n'y en a qu'un d'exquis : le vieux Lafont, dit « le vieillard » qui est un vieux cagneux centenaire : qui a perdu la moitié de ses doigts à force de faire des thèmes — qui, en entrant en classe, devient aussi abruti et cagneux que faire se peut — Mais qui est très bon et qu'on ne peut s'empêcher d'estimer.

Enfin, je connais le groupe Paul Fort. Chesneau m'a présenté un soir — et, depuis, invité aux réunions nocturnes du café des « Deux Magots », j'y suis allé une fois seul.

— La première fois, je suis revenu très dégoûté. J'avais fait connaissance de Fort — bafouilleur obscurci, aimable et rasant — de Moréas, crétin, abruti, impuissant, comme le faisaient attendre ses œuvres — de Retté, ivrogne viril et sympathique qui s'est fait moine depuis.

— La réunion où je suis allé mardi dernier était véritablement une réunion « d'amis et de collaborateurs de V. & P. » [10]. J'y ai connu Albert Dreyfus qui m'a parlé de Von Hoffmannstal et surtout un vieux monsieur charmant, ami de Rodin, peintre norvégien.

— Il reste que : on n'y rencontre pas nos grands hommes. On y rencontre plutôt des vadrouilleurs qui vous gardent jusqu'à cinq heures du matin.

Les crétins y sont légion : Moréas les préside de toute sa monosyllabique monocleuse impuissance.

P. Fort vous appelle mon çer Fournier en vous retenant pour « un rapide vin blanc » ; mais l'idée même de lui parler d'insérer l'article de Rivière ne peut pas vous venir.

Je fais l'enfant avec Madame Fort (avant de lui en faire un, ajouterait Monsieur Bernard).

---

9. PRB : Préraphaélites britanniques.
10. V & P : *Vers et Prose,* la revue de Paul Fort.

Brutalement, de tes vers :
Influences — Influences (Stuart Merril, et bien d'autres).
Pourtant j'aime :

« Puis Bouddha lève son lotus d'or
Aux étamines de silence —
Le roi fou prend son sceptre et danse
sur la danse des feuilles d'or. »

Et puis tu me sembles à la fois trop intelligent et trop retar-
dataire : Tes formules, tes « trucs » poétiques me paraissent
simplement des formules très intelligentes de la manière
symboliste. Il faut autre chose, et surtout il ne faut pas cette
conscience. Il me crispe de t'entendre dire : « Je reprends ce
procédé... Je cherche la comparaison lointaine qui doit... » Ce
sera de l'art, de la science, mon vieux, ce ne sera plus de la
poésie.

Merci pour les renseignements que tu me donnes sur Quin-
cey, Louis Ménard...
Je t'en reparlerai dès que j'en aurai des nouvelles.

Je t'enverrai certainement des traductions un jour.

Que veux-tu que je t'envoie comme bouquins ?

J'ai lu çà et là des essais de Claudel qui me le montrent plus
grand que tout. Paul Fort (qui ne comprend rien, mais qui
aime tout) m'en a parlé sans le connaître.
Merci de ce que tu m'en dis.

Merci surtout :
« J'ai revu la salle d'école fraîche et nue, et la cour où des
prunes commencent à sécher... »

Écoles traversées aux fins de vacances. Ah ! Ah ! — et la suite. Mais « feuilles de choux creuses comme des vasques » ne me plaît pas. Je dirais plutôt : vasques creuses comme des feuilles de choux.

Et je me f... d'Étienne — quoiqu'il soit bien gentil.

Voilà en quoi nous différons.

En déjeunant, ta lettre interrompue, j'ai pensé que, Normalien, tu avais des tas d'ustensiles cagneux désormais sans emploi — Pourrais-tu m'en prêter ? Grammaires — Histoires... que sais-je ?

Surtout des cahiers et des notes dont j'aurai le plus grand soin. Si, par exemple, tu pouvais m'envoyer dès dimanche tes admirables cahiers d'histoire (XVIIIe s. en particulier) pour la composition du 12...

Je suis allé à Versailles, pendant la « Semaine des arbres » [11]. J'y ai vu la pluie sur des choses dignes et « doucement malheureuses ». J'y ai vu, dans les parloirs du lycée et des maisons « Eugénie de Guérin » et « Jacqueline Pascale », des petites filles qui sortaient de l'étude et souriaient tristement.

Écris-moi et pardonne-moi beaucoup.

Bien à Toi.

H. Fournier

P.S. : Je vois souvent Guinle — absolument libre — Pons et Vigier sont en route pour l'Angleterre — Gotteland s'intéresse beaucoup aux « canulards » — J'ai plaqué Chesneau — J'ai révélé Claudel à Martin.

---

11. Organisée sans doute par l'École d'Horticulture de Versailles.

Je n'ai pas pensé à te ré-inviter à venir chez moi pour Pelléas, sachant que les permissions de plusieurs jours sans motif et pour un lieu autre que le domicile des parents étaient impossibles. Mais au cas où tu pourrais obtenir : on va jouer encore quelques fois Pelléas — et mon pauvre logis est à ta disposition.

7.

Bichet à Fournier

Orléans, dimanche soir 9 heures (Vers novembre-décembre 1906 [1])

Mon cher ami,

Je sors de l'infirmerie régimentaire [2], voilà pourquoi je choisis ce jour pour t'écrire : car la maladie, et surtout l'horrible saleté au milieu de laquelle j'ai passé presque une semaine, m'ont donné de la force de résistance et de pensée. J'ai tout simplement une angine ; ce n'est pas pénible, ce n'est pas de la dernière gravité ; je pense aller chez moi me rétablir définitivement — et emporter « la multiple splendeur » qu'un ami vient de me promettre en me le vantant : ç'aura été — avec *Clairière dans le Ciel* et *Paludes*, que tu vas m'envoyer bientôt — ma seule lecture de ces trois mois.

Tout pendant l'exercice, je rêve à des choses vagues et lointaines ; je voudrais avoir des élèves très intelligents pour leur enseigner la morale : je leur mettrais dans les mains Épictète,

1. Lettre non datée que nous insérons ici tout d'abord à cause des références aux lettres précédentes.

2. L'infirmerie régimentaire. Il semblerait que René Bichet ait fait son service militaire en deux temps : une année en 1906-1907 à Orléans, après son succès au concours de l'ENS ; et l'autre en 1909-1910 à Rouen après son agrégation.

l'Imitation, Kant, Nietzsche et Maeterlinck ; je leur prêche-
rais l'Orgueil et l'Intensité de la Joie intérieure, je leur montrerais le profit qu'on peut tirer de la dureté de Zarathoustra
et de la ténacité stoïcienne. Je leur montrerais aussi ce que
c'est que la Vie Simple, une Vie moyenne, où des souffrances
et des triomphes médiocres acquièrent une valeur inouïe, où
le moindre bout de soleil est une volupté et le pois sous l'édre-
don un tourment digne de Mirbeau. Mes écoliers ne croi-
raient pas au bien ni à la liberté ; internes dans un collège, ils
ne se révolteraient point contre les grilles : la plupart feraient
de merveilleux ratés, quelques-uns seraient poètes ; je crois
que tous pourraient être heureux.

Le dernier numéro de *Vers et Prose* [3] me répugne, à part le
poème de Vielé-Griffin ; cette revue devient le refuge d'un tas
d'écrivaillons qui n'ont rien, et qui ne vivent pas ; de plus, un
poncif est en train de s'y former peu à peu — poncif dans le
fond et surtout dans la forme —, où il y a, je pense, et je le
regrette, une mauvaise influence du langage de Claudel : je
songe aux vers du nommé Tornouël et à la prose du nommé
Suarès ; comme à eux deux ils remplissent le quart du
numéro, c'est abusif ; c'est abusif, et d'autant plus lamentable
que Fort promet toujours de l'héroïsme et du lyrisme à
bouche-que-veux-tu. Les *Notations* de Morice me suggèrent
aussi cette opinion, qu'il est très vain, très puéril, d'ouvrir
comme ça ses tiroirs devant le lecteur ; le lecteur y trouve de
petits morceaux de papier dans un ingénieux désordre — de
courtes phrases inachevées ou trop achevées —, et en fin de
compte quoi de profond ou de beau ? Tous ces gens-là
feraient mieux de laisser leur plume et d'aller se promener
par les bazars à l'approche de Noël, quand les savons frais
embaument.

Je reçois aujourd'hui même une lettre, enfin, de Leca. Son

---

3. Il s'agit du numéro 7 de *Vers et Prose* (septembre-octobre-novembre
1906), ce qui permet de dater plus précisément la lettre de fin 1906 ou
début 1907 au plus tard. Le poème de Vielé-Griffin avait pour titre
l'Étape. Les *Notations* de Charles Morice sont en effet un recueil de petites phrases ou sentences.

service militaire terminé, il est maintenant pion, à Tunis, ce qui lui vaut, dit-il, la tranquillité, 210 F par mois, et une chambre où deux Tanagras voisinent avec le médaillon de Schumann ; il ignore ton adresse et te prie de lui donner de tes nouvelles (répétiteur au lycée Carnot — ou : 23, rue d'Italie, Tunis) ; il voudrait s'abonner à une revue et ne sait quoi choisir ; marasme. Il m'a donné sa photographie en zouave, au milieu d'une cour pleine de soleil, avec, dans le fond, des arcades de brique qui rappellent Lakanal.

Marches en tenue de campagne — départs harassants, haltes dans le vent d'ouest, derrière les hameaux gelés — en rentrant, couchers de soleil tout roses avec l'odeur des herbes brûlées. Et puis, toujours se dire que l'on va s'arrêter — et ne pas s'arrêter encore —, et quand enfin l'on a formé les faisceaux, le soudain désir de repartir, de faire un nouveau kilomètre, de ne pas se reposer tout de suite ; sensualité des attentes.

Voici des vers : *L'Exaltation de la Fleur*

Comme on attend, derrière les volets baissés,
Celui dont la tunique, au réveil du foyer,
S'exaltera de pourpre aux courbures des plis,
Tu m'attendais, plus triste et plus grande, la nuit,
Et l'ombre bleue dans les rivières, et la danse
Des jeunes filles d'or qui les soirs de vacance
Portent le pavot lourd parmi la sauge claire,
Passaient, et te rendaient plus grande et plus austère ;
Puis tu fus seule et tu pleures. — Mais souviens-toi :
Lorsque je vins, dans la lune pleine, mes doigts
Tenaient-ils pas la Fleur veinée de rouge et d'ombre
Belle comme l'Amour et comme le Mensonge,
Et alors n'as-tu pas souri, presque joyeuse,
Et quand l'oiseau chanta dans les branches traîneuses
Nos yeux battaient-ils pas d'ivresse et d'or, pareils
A ceux qui ont longtemps regardé le soleil ?

Il va être dix heures, il faut éteindre les lampes ; au revoir, et puisque tu m'estimes déjà, tâche donc maintenant de m'aimer en ami véritable ; tu vois que je t'écris ce qui me vient à la tête, sans truquage.

Bons souvenirs et meilleures espérances.

R.B.

— Il est bien entendu que tu pourras m'envoyer Jammes et Gide ? Sinon, prête-moi ce que tu veux, ce que tu sais que je n'ai pas lu — et en tout cas adresse-le d'abord chez moi (rue des Pressoirs, Pithiviers) d'où l'on fera suivre s'il y a lieu.

Amitiés à Guinle, please.

R.B.

8.

Fournier à Bichet [1]

La Chapelle d'Angillon, Cher, 26 décembre 1906

Parti en vacances un peu plus tôt que d'ordinaire [2], pour prévenir la fatigue, j'ai reçu ta lettre ici. Elle m'a fait grand plaisir. Je te reparlerai de tout, et de tes vers qui sont beaux.

— Je règle immédiatement la question bouquins.

Il est regrettable que je n'aie pas connu tes désirs étant encore à Paris. Je ne t'aurais pas envoyé *Paludes* que j'ai lu à la Bibliothèque de l'Arsenal, mais j'aurais pu t'envoyer des *Mercures* anciens, des *Ermitages* où j'ai découvert le Prélude et la post-face de *Paludes*.

Tu tiens à les avoir avant mon retour à Paris, 7 janvier, n'est-ce pas, et je vais te les faire envoyer avec *Clairières dans le Ciel*, qu'il va falloir arracher des mains de Gueniffey.

J'ai bien aussi *Le Semeur de Cendres* de Guérin, mais je trouve ça bien mauvais — aussi *le Visage Émerveillé* que tu aimerais peut-être relire, mais je ne l'aime plus qu'à cause de mon émotion ancienne.

---

1. Lettre inédite.

2. Henri Fournier a quitté Paris le 13 décembre pour La Chapelle sentant revenir l'état fiévreux dont il avait souffert l'année précédente. Il rentrera à Paris le 7 janvier 1907.

Les livres que j'ai achetés nous sont familiers. Ceux que j'ai lus l'ont été dans des bibliothèques (je te parlerai de *Jude l'Obscur*). Je réfléchirai cependant et tâcherai de grossir l'envoi que je te ferai faire prochainement par ma sœur.

Tâche de m'envoyer l'*Agamemnon* d'Eschyle [3] — ou autre chose.

Au vétéran que tu es, amitiés du conscrit que je suis, ce soir [4].

J'ai vu *Jules César*.

H. F.

_____

3. *L'Agamemnon* d'Eschyle, traduit par Paul Claudel. Imprimé à Fou-Tchéou en 1886.

4. C'est en 1907 que Fournier fera son service militaire. Il a passé son conseil de révision à La Chapelle le 26 décembre. Voir lettre à Jacques Rivière. (JRAF I 430)

9.

Fournier à Bichet

La Chapelle, 5 janvier 1907 — veille de mon retour

Lettre-renseignements — parce que je ne suis pas en état de t'écrire autre chose.

— D'abord, merci pour l'*Agamemnon*. C'est admirable. C'est une traduction, ce n'est pas, comme il est d'usage, une transposition. Mais le point de départ de Claudel n'est pas là.

— Rivière est allé déjà trois ou quatre fois chez Monsieur Frizeau à Bordeaux, prenant la 1re fois comme prétexte la nouvelle œuvre hors commerce de Claudel : *Partage de Midi* [1] que Frizeau et quelques autres, dont Fort, sont seuls à posséder. Rivière touche ainsi, d'aussi près que possible, à Claudel, Jammes, Denis... Claudel est « un missionnaire », a dit Frizeau. Toute son œuvre est une tentative de conversion.

Tous les tuyaux que donne Frizeau me font de Claudel un personnage hautain et cruel et ce que m'envoie Rivière de ses traités inédits, à paraître, ou de *Partage de Midi*, surtout de *Partage de Midi* — le poète le plus purement et gigantesquement admirable, le chrétien le plus redoutable, le seul peut-être, du moment.

---

1. *Partage de Midi*, drame en trois actes de Paul Claudel paru en 1906 à la Bibliothèque de l'Occident.

Chez Frizeau, Rivière a rencontré Alexis Léger [2], jeune homme venu de la Guadeloupe à Pau, que Jammes a reçu, qui a quitté Jammes après une séance avec Claudel dont il est sorti « pleurant et brisé » — et qui est d'un « mutisme insolent ».

— Rivière est près de connaître tous ceux que nous admirons.

— Gide a reçu un choc si violent d'une entrevue, d'une conversation avec Claudel, une impression si profonde de la sérénité claudélienne, qu'il est prêt à se convertir et malade.

— Suarès a du génie, paraît-il.

— Que c'est divin, pur, effrayant de beauté — ascétisme et extase — *Partage de midi*. Mesa n'est pas accepté de Dieu avant d'avoir souffert de la vie, avant d'avoir aimé la vie, souffert de la femme, aimé Ysé.

— J'ai dit à ma sœur de t'envoyer *Clairières*, et l'*Ermitage* et le *Mercure* en question. Tout excepté l'*Ermitage* est prêté. Attends un peu. Je t'enverrai un volumineux paquet à mon retour.

— Dis à Leca qu'il s'abonne à l'*Ermitage* (mensuel ou bimensuel ?) qui complétera l'abonnement obligatoire à V. & P. trimestriel. Avec 210 F par mois... !

— Tes vers sont beaux ; plus dépouillés ; de belles choses bien à toi :

... la danse

Des jeunes filles d'or qui les soirs de vacances... et la Jeune fille « plus triste et plus grande »...

mais c'est toujours trop voulu, trop conscient, maintenant. Je me rappelle tes formules, tes truquages...

---

2. Alexis Léger, le poète Saint-John Perse. Jacques Rivière décrit ainsi sa première rencontre avec lui chez Gabriel Frizeau à Bordeaux : « il était là dans un fauteuil, silencieux, refusant un sourire aux finesses de Frizeau, d'un mutisme presque insolent » (JRAF I 426,24/12/1906). Alain-Fournier le rencontrera à son tour dans les Pyrénées, à Luz-Saint-Sauveur en 1911 ; au cours d'une période militaire. Voir le récit de cette rencontre dans JRAF II 400 à 402, 13-09-1911. Il sera question des rapports du poète avec Claudel dans la correspondance de Rivière et de Fournier avec André Lhote.

— Le jeune homme qui cherche à « se faire une morale » (il y a aussi maintenant la jeune fille !...) me paraît bien en retard, celui qui cherche le bonheur, bien méprisable. Ceci pour tes délicieux ratés.

— Merci pour tes notes de marche et d'exercice qui m'intéressent beaucoup. Je vais tâcher d'aller faire mon temps à Vincennes, c'est-à-dire près de Paris où seront ceux dont la société et l'amitié me manquent tant...

Henri Fournier

10.

Fournier à Bichet [1]

Mardi — 10 heures du matin, 19 mars 1907

Je viens de trouver, en rentrant chez moi, ta carte-lettre et je suis immédiatement redescendu à la poste pour y répondre.

Je suis navré de ce qui est arrivé. Je te jure n'avoir pas reçu la lettre dont tu me parles. Tu penses bien que rien ne me fera plus plaisir que de te voir m'arriver — 60, rue Mazarine. Est-il trop tard maintenant ? Je pars samedi matin pour La Chapelle [2]. D'ici-là je te sacrifierai le temps que tu voudras, même, à la rigueur, la journée de samedi.

T'avoir ici à Paris, alors que j'y traîne depuis six mois ma solitude et ma torpeur, tu sais bien, petit crétin, que ce sera délicieux. T'avoir juste au moment que je viens de me réveiller, tu sais bien, cher vieux poète, que ça va être merveilleux.

Est-il trop tard ? au besoin envoie-moi un télégramme et arrive-moi avant dimanche — J'ai une peur folle que « cette

---

1. Lettre inédite.
2. Pour les vacances de Pâques.

journée à Paris » dont tu parles, ce soit, par exemple, pour la
Semaine sainte, alors que je dois être à La Chapelle du 24 au
11 avril.

Vite, une réponse.

H. Fournier

11.

Lettre d'Alain-Fournier
et de Jacques Rivière
à Maurice Denis[1]

3 mai 1907

Monsieur,
Nous avons pensé que, plus que l'hommage des techni-
ciens, l'admiration ignorante mais passionnée de deux jeunes
gens vous pourrait toucher. C'est pourquoi, après mille hésitations, nous nous décidons à vous écrire.

Nous vous connaissons depuis assez longtemps. Nous nous
rappelons la première rencontre : ce fut un émerveillement et
aussitôt un calme délicieux ; la révélation d'un monde, où les
visages sont des inclinaisons, où les gestes sont des signes
d'acquiescement et de repos, où tout semble mûri et apaisé
dans la belle lumière de l'été finissant. Désormais notre cœur
était avec vous. Chaque toile nouvelle nous fut un enchantement. Les heures les plus lointaines et les plus mystérieuses
de nos enfances nous étaient évoquées.

---

1. Cette lettre à Maurice Denis, inédite jusqu'à ce jour, nous a paru
indispensable à ajouter aux lettres d'Alain-Fournier, car la visite à Denis
qui en découlera forme le sujet central d'une autre lettre inédite à Bichet
que l'on trouvera plus loin, seul compte rendu détaillé de la rencontre de
Fournier et de Rivière avec le peintre. On verra dans cette lettre la part
prise par chacun des deux signataires à la rédaction de leur envoi.

C'étaient, humbles et ardentes, les communiantes penchées qui défilent devant l'institutrice ; c'étaient, au plus profond des jardins brûlants d'après midi, les grandes apparitions sages et méditantes ; c'étaient, sous l'ombre bleue des arbres de la place, non plus les donateurs avec l'encens et la myrrhe, mais les vieilles mamans, qui présentent à l'Évêque-Jésus leurs beaux enfants endimanchés.

Ainsi, faute de la moindre connaissance technique, nous balbutions littérairement notre admiration. Pardonnez-nous. Pardonnez-nous aussi le grand désir que nous avons de connaître celui qui nous semble le maître de la paix et de la certitude et permettez-nous de réaliser ce désir.

Jacques Rivière   Henri Fournier

60, rue Mazarine
Paris VIe

12.

Fournier à Bichet[1]

17 mai 1907

Mon cher ami,
J'étais persuadé que je t'avais renvoyé l'*Agamemnon*.
Il faut que ce soit Guinle qui l'ait perdu, et, alors, il n'y a pas d'espoir.
Je le commande chez Larose et te le renvoie avec mes excuses.
Je voudrais que tu comprennes mon silence, qu'il n'a rien d'outrageant, que c'est paresse et peut-être pudeur.
Partage de Midi — dont j'ai si pauvrement parlé après en avoir lu la dernière scène recopiée par Rivière, est hors commerce. Il faut connaître Claudel pour l'avoir. Nous allons l'avoir.
Rivière, à qui je montrais l'autre jour de tes vers, a aimé et trouvé très original ce qui commence par :

« Par les soirs voyageurs de lune et d'acacia. »

---

1. Lettre inédite.

A toi, parce que tu l'aimes, je dirai ceci : Nous avons été l'autre jeudi chez Maurice Denis. C'est un des merveilleux après-midi de ma vie. Il habite à Saint-Germain-en-Laye.

Bien à toi.

H. F.

13.

Fournier à Bichet

Lundi matin, 27 mai 1907 [1]

Mon cher Ami,

Je comprends ta fatigue, ton dégoût, et je voudrais pouvoir te venir en aide [2].

Pourtant je t'envie, je voudrais être forcé pendant des mois de faire vivre intensément mon corps, être délivré comme toi de tout souci d'avenir.

Mais nous savons bien qu'une seule chose importe, une seule chose vaut qu'on vive et peut nous satisfaire, en dehors d'elle il n'y a point de satisfaction. Et c'est pourquoi je comprends ton désespoir, toi qui es anéanti de fatigue et plongé dans « l'infection » (Claudel).

Ce sont ces grands soulèvements, ces désirs infinis qui nous transportent dans l'Autre Pays ; ce sont ces paysages de nos désirs, peut-être de nos souvenirs, qu'il faut atteindre, dont il faut se rendre dignes.

---

1. Cette lettre, retrouvée après la première publication des *Lettres au petit B.* en 1930, avait été éditée en 1946 par les éditions Émile-Paul dans la collection « Les Introuvables », à tirage limité « pour quelques amis ».
2. Bichet faisait son service militaire.

A la Nationale, devant les deux tableaux — esquisses — de décoration de Denis, nous remarquions encore les visages — inclinaisons, la lumière mûrie, le geste de l'acceptation et de la certitude. Rivière disait : « Je ne puis me l'imaginer autrement que très heureux. » Alors j'ai décidé de lui écrire.

J'ai écrit 8 ou 10 lignes centrales, avec la fin, laborieusement, tandis que Rivière arrangeait rapidement et ingénieusement le début. De sa régulière écriture, il a recopié le tout : deux petites pages.

Nous avons eu la réponse immédiate :

« Messieurs, je suis très touché des sentiments que vous m'exprimez. Le poème de votre admiration est une belle chose, dont je suis fier et fort supérieure aux toiles peintes qui l'ont inspirée. Vous me ferez plaisir de venir me voir, un jeudi après-midi, avant la fin de ce mois, etc. »

Le jeudi suivant, le premier jour du temps d'été, nous descendions, à Saint-Germain-en-Laye, une descente dont le fond se perdait dans la verdure. En face une côte merveilleuse de verdure et de lumière italienne. Nous suivions un long et haut mur de parc. Nous étions saisis par une odeur intense de lilas. Dans le bas, dans le mur, nous devinions une petite porte qui devait être celle-là.

Au-dessus, une construction vitrée que nous pensions être l'atelier.

Rivière disait plus tard qu'« à ce moment nous n'en menions pas large ».

C'est moi qui ai sonné. « Monsieur Denis est ici ? » — Couloir, entrevision de jardin à gauche. — A droite, nous entrons, on nous fait passer par plusieurs portes ; et, à travers l'éblouissement de cette arrivée dans une maison inconnue, nous apercevons, nous sentons plutôt que nous sommes entourés de tout un lumineux, religieux, adorant peuple peint qu'il a créé.

On nous introduit au salon. Une couturière se retire, emportant son étalage d'étoffe, suivie d'une dame, dont nous reconnaissons le visage.

Un homme qui est accoudé au-dessus de je ne sais quoi, à droite dans le fond du petit salon, se retourne et vient à nous. Visage gras et doux. Yeux d'un bleu très pâle. Double barbiche claire. On a dit de lui : « Un petit cavalier Louis XIII », mais il n'est pas petit.

Nous nous présentons. Nous nous asseyons. Il cause. Il dit l'ignorance des peintres, dans l'atelier où il a débuté. Il raconte une anecdote. On sent cette sûreté tranquille, cette certitude joyeuse que nous avons pressentie. Il dit qu'en peinture comme en littérature, il y a eu à partir des impressionnistes, un mouvement nouveau...

Il parle de Gauguin, de Sérusier, de Cézanne [3]... On se sent sollicité par les tableaux des murs : Sa « femme en bleu » avec ses enfants. « Un prêtre. » Je dis, tout haut, reconnaître une belle photographie de son admirable inoubliable « Laissez venir à moi les petits enfants (tableau de famille) » de son exposition chez Bernheim.

Il parle. Rivière surtout répond. Il nous montre cent choses dans une salle voisine, puis dans le vestibule : des Van Gogh, Gauguin, Roussel...

Dans le vestibule sa femme passe, qu'il nous présente : « Madame Denis » et que nous saluons. Visage un peu porté en avant, aux yeux bleu très pâle, sans beauté ; mais si émouvant quand on le revoit comme il l'a vu. Elle est assez petite.

Il nous mène dans son atelier. Nous traversons le jardin. Nous apercevons sur l'herbe une toute petite fille en blanc qui nous fait des signes, tenue par une bonne. Nous montons par un escalier de bois dans l'atelier. Il nous emmène pour nous montrer des photographies de ses décorations que nous avons dit désirer connaître, et des photographies de Chassériau, l'inconnu, qu'il nous vante beaucoup et que nous connaissons un peu par le Louvre.

---

3. Maurice Denis fit partie de ce qu'on a appelé « l'école de Pont-Aven » (1886-1896) qui, autour de Gauguin et d'Émile Bernard rassembla un groupe important de peintres rénovateurs dont Vincent Van Gogh et Paul Sérusier. Avec ce dernier et Armand Seguin, Denis en fut même l'un des théoriciens ; ils fondèrent alors une nouvelle formule picturale connue sous le nom de « synthétisme ».

Partout, dans l'atelier, de grandes toiles avec des esquisses au fusain. Ce sont des gestes, des attitudes, de grandes formes repliées. Je retrouve son grand tableau de chez Bernheim : « Le mois de mai. » Aux murs de très anciennes choses de lui. Sur ses tables, mille petits bouts de papier chargés d'esquisses. Il sort un album où sont des Chassériau. Il en parle beaucoup ainsi que de Puvis de Chavannes. Il sort ses décorations pour la Villa Allemande ; il sort beaucoup de photographies de ses tableaux. Il les étale. Il est très difficile de lui dire ce que nous en pensons, car il ne parle jamais de lui-même, et ne répond pas quand on en parle.

Au bout d'un assez long temps sa femme vient. Rivière qui s'est admirablement comporté avec Maurice Denis trouve que j'ai été admirable avec Madame Denis. Je lui ai parlé tout de suite de ses enfants, de ses trois petites filles. Elle semble suivre et comprendre les idées et les admirations de son mari, intelligemment. Ils se parlent, tous deux, avec une grande bonté.

Ils parlent de Claudel qu'ils connaissent et admirent, de Camille Claudel, d'André Gide, leur ami, de Charles-L. Philippe, de l'*Occident* [4] dont Denis est un des fondateurs, de Suarès, de Charles Guérin, de Carrière, pendant que nous feuilletons une « Imitation de Jésus-Christ » avec illustrations de Denis, qu'on nous a mise en mains.

Quelqu'un monte le thé. Dans la conversation avec Madame Denis, nous apprenons que Denis adore Florence, qu'avant d'y aller il peignait à Saint-Germain des tableaux que la critique disait des paysages d'Italie. Les paroles se font moins tendues, un peu plus familières. On se sent entouré de paix et de joie ; la lumière est intense ; le jardin se voit, calme

---

4. *L'Occident*, revue mensuelle fondée par Adrien Mithouard et dirigée par Albert Chapon. Elle s'était adjoint une « Bibliothèque de l'Occident » où étaient publiés ses auteurs, suivant en cela l'exemple du *Mercure de France* fondé en 1890 par Jules Renard et ses amis.

Maurice Denis était administrateur de *l'Occident* et c'est par lui que Rivière et Fournier obtinrent de publier quelques-unes de leurs premières pages dont *Méditation sur l'Extrême-Occident* et *Paul Claudel poète chrétien*, de Jacques Rivière.

et chaud, par les vitres. Aux instants de silence, on entend
une mouche ou une abeille bourdonner.

Nous partons. On nous prie de revenir. Nous allons voir,
avant le train, la terrasse.

Il ressort de ce qu'il nous a dit qu'il aimerait voir reprendre
la tradition des vieux maîtres, leur discipline, leur travail vers
un but commun, qu'il aimerait surtout faire de la décoration,
c'est de ce côté qu'il aimerait appliquer les résultats de ses
efforts, développer tranquillement cet art qu'il a trouvé et
retrouvé.

Il nous a envoyés voir, avec sa recommandation, l'Hôtel de
Monsieur Fayet [5], l'homme qui a le plus de Gauguin, et tant
d'autres choses. Sa décoration d'un hôtel rue d'Offémont ; et
surtout, surtout sa décoration des deux chapelles de l'église
du Vésinet.

Ce sont tant de choses, que je ne me sens pas la force de t'en
parler maintenant. Ce sera pour quand je te reverrai, au
hasard des conversations. Car il me faudrait raconter aussi
nos innombrables visites aux innombrables expositions de
Durand-Ruel, Bernheim, Vollard, Druet, Denis, Guérin,
Laprade... les plus aimés ; et Cross, Dufrénoy, Monticelli et
Gauguin, et Cézanne, et Bernard B. de Monvel dont nous
venons d'acheter une petite collection de gravures.

Console-toi en pensant que tu auras un article de Rivière
sur les Indépendants après-demain [6].

Pardonne-moi de n'avoir pu résister au plaisir de rappeler

5. Monsieur Fayet, languedocien, fut un des premiers et des plus
importants collectionneurs de peinture post-impressionniste. Il fut le dernier amateur de Gauguin. Très lié avec Odilon Redon, il lui commanda en
1910 la décoration de la bibliothèque de l'abbaye de Fontfroide qui lui
appartenait depuis 1908. Sa collection fut dispersée à sa mort en 1925.

6. *Le 23ᵉ Salon des Indépendants*, premier article de Jacques Rivière
publié. Il parut dans une petite revue éphémère, à Tunis, appelée *Tânit*
qu'avait fondée leur camarade de cagne nommé Leca.

tous ces détails de notre première visite à Denis, détails précieux pour moi, mais qui, j'en ai peur, ont dû t'ennuyer.

Parlons de tes vers. Nous te reprochons d'abord, de ne pas aborder le vers libre avec tout le respect, tout l'effroi qu'il faudrait. Tes vers libres sont en général faciles ; et, le vers libre est encore la chose à trouver, la chose à faire, péniblement, savamment, instinctivement. Il faut un courage et une délicatesse infinie pour manier les vers libres. As-tu réfléchi, par exemple, à la difficulté du départ à faire entre la science et l'instinct ? Personne, presque, ne nous a frayé le chemin. En dehors de Régnier, Viélé-Griffin, Verhaeren, Laforgue et Van Lerberghe, je ne connais personne. Alors, là bien plus qu'ailleurs, il serait lamentable de marcher dans les chemins frayés. Donc ton vers libre est facile. Mais, tu le sais, nous y trouvons de très jolies choses, et de belles dans les vers réguliers qui suivent :

« lisent en attendant qu'on vienne les chercher », et la suite.

Vers et Prose coule. Nous pourrions bien être volés. Paul Fort et son entourage étaient décidément lamentables.

Nous avons vu en tas chez lui le *Vers et Prose* qu'il ne peut pas envoyer faute d'argent et où il y a *Le Retour de l'Enfant Prodigue* de Gide [7].

Rivière, par Monsieur Frizeau [8], approche d'aussi près qu'on peut le faire en France Claudel — et Jammes et Gide.

Gide est d'esprit très protestant. Sa femme est protestante. Cela renseigne beaucoup sur le caractère de ses livres. Ce sont des évolutions intérieures. Claudel, lui disant lors de son voyage en France, le sujet de *Partage de Midi* l'a scandalisé.

Monsieur Frizeau raconte que Jammes dit à Gide : « Mon pauvre ami, tu n'as pas d'esprit pour deux sous. Toutes les

---

7. *Vers et Prose*, tome IX, mars-avril-mai 1907, pp. 5 à 28.

8. Gabriel Frizeau à Bordeaux, comme Fayet à Paris, fut un grand collectionneur, amateur d'art et de littérature, ami de Francis Jammes et d'Odilon Redon. C'est chez lui que Rivière devait rencontrer le peintre André Lhote qu'il aida dans ses débuts. C'est aussi sur son conseil que Rivière écrivit à Claudel.

fois que tu veux faire de l'esprit, c'est lamentable. » Et Gide, (qui a écrit *Paludes*) est très vexé et rit.

C'est Jammes qui a découvert Claudel. Un jour il apporte *Le Banyan* et plusieurs poèmes de *Connaissance de l'Est* publiés dans *La Revue Blanche* [9], à Monsieur Frizeau ou à Schwob, je ne sais plus, en disant : « Lis-moi cela ! Ce type-là a du génie ! »

Il est probable que sa définitive conversion est due à Claudel. On ne sort pas autrement de Claudel. C'est terrible.

Je pense t'avoir demain l'*Agamemnon*.

Un mot de Rivière sur Guérin (un de ces deux ou trois mots qu'il faut trouver d'abord pour parler de quelque chose et autour desquels on découvre ensuite les harmoniques) sur les femmes de Charles Guérin : « Ces petits visages fermés et inconscients... » Mais il faut abandonner cette intuition litté-raire dangereuse, ou au moins l'appuyer sur la technique et les renseignements que nous acquérons en ce moment avec passion.

Je t'annonce pour juillet une chronique sur la musique entendue ce mois-ci, par Rivière, avec un curieux paragraphe sur *Pelléas* [10].

Rivière, comme moi, aime à encourager Tânit, et ces exer-cices de critique l'amusent. Les notes finales du numéro de juin sont de moi, please laugh !

A toi, avec mon amitié et ma sympathie.

A.-F.

Je sens en la relisant que je n'ai pas mis dans cette lettre ce que j'aurais voulu y mettre : Davantage de moi-même pour te prouver ma sympathie. Mais il faut tant d'impudeur.

---

9. *La Revue Blanche* des frères Natanson, qui cessa de paraître en 1902.

10. « La Musique à Paris », dans la revue *Tânit* de juillet, n° 6, premier et excellent texte de Rivière sur *Pelléas*, de Debussy.

14.

Fournier à Bichet[1]

Vendredi matin 12 juillet 1907

Mon cher petit,

Les motifs de mon silence sont presque inavouables.

D'abord je travaillais l'écrit — et maintenant, par acquit de conscience, je travaille l'oral.

De plus — et c'est ici que s'étale l'inavouable — je t'avais annoncé dans une carte déjà ancienne l'envoi d'un *Agamemnon* pour remplacer celui que je t'avais perdu. Je disais même, pour te faire patienter et parce que Larose [2], qui me renvoyait d'un jour à l'autre, me l'annonçait cette fois pour le lendemain, je disais même — et, ce disant, je mentais — que je l'avais en main ; et que je le garderais encore quelques jours pour le repotasser (de ceci, j'avais l'intention).

Le lendemain, désastre ! *L'Agamemnon* d'Eschyle est épuisé ! ne se rééditera probablement pas ! Désastre double : puisque d'abord tu attends quelque chose qui ne peut pas venir — et que ce quelque chose est devenu si rare que précieux !... Lors, je me couvre la tête de cendres, je me revêts

---

1. Lettre inédite.
2. Larose, libraire.

d'un cilice et je fais le serment solennel de ne pas t'écrire avant d'avoir retrouvé *ton Agamemnon* d'Eschyle chez Guinle, ou chez moi ; à La Chapelle ou à Paris. Mes sœurs [3], mes amis retournent tout chez moi, pendant qu'ici j'inspecte minutieusement toutes les caisses de bouquins, toutes les bibliothèques de la cave au grenier.

Je désespérais... lorsque ce matin, je reçois une lettre de ma sœur qui met fin à mon angoisse et à la tienne. C'est retrouvé ! La chose précieuse est retrouvée (« dans un petit coin », c'est-à-dire, évidemment, dans un tiroir de Guinle). Je te l'enverrai dès mon retour à Paris, ce qui ne peut tarder.

— Il me reste à peine la place de te demander un pardon rapide.

De te dire que mon récit ne me laisse pas d'espoir d'admissibilité ; les sujets tous trop vagues et généraux demandaient une méthode très sûre et très Vial [4] que je ne posséderai jamais.

Je me suis retiré ici pour, cependant potasser l'oral.

Ce serait, maintenant, dans quatre ou cinq jours. Je ne suis pas au quart de tous mes programmes d'Histoire.

Écris-moi donc un peu longuement et rappelle-moi en post-scriptum les sujets donnés, les repêchages, etc. Cela peut m'être précieux au dernier moment.

Dès ma délivrance je te récrirai pour te parler de
                    Denis, Claudel
                    Tânit, l'Occident
                    d'eux, de toi.
                    de nous.

Poignée.

                                        H. F.

---

3. Ce pluriel emphatique ne pouvait tromper Bichet qui savait bien que Fournier n'avait qu'une sœur et la connaissait bien.

4. Francisque Vial, professeur de lettres à Lakanal. C'est lui qui leur avait fait découvrir le symbolisme en leur lisant des vers d'Henri de Régnier.

15.

Fournier à Bichet[1]

29 juillet 1907

Mon cher ami,

Admissible à l'École, je suis complètement collé à l'oral
— à ma grande surprise et à la stupéfaction des amis de
l'École qui m'ont vu passer. Il n'y a pas à insister. Il y a
incompatibilité d'humeur entre l'École et moi. Je n'insisterai
pas.

Je fais immédiatement mon service (en octobre) avec
l'intention de faire ma licence en juillet grâce au nouveau programme. Dès ma libération, j'essaierai les projets que je
forme dès maintenant, soit pour la France, soit pour les Colo-
nies — projets que je crois bons et que certaines circonstances
heureuses favorisent. Je te raconterai cela à Paris où j'espère
venir comme cavalier en octobre. Mais c'est bien dur à
obtenir.

J'écris à Leca pour lui parler de Tânit que nous allons
transformer.

— Je te renvoie, sain et sauf, l'*Agamemnon* d'Eschyle.

---

1. Lettre inédite.

— Je vais sans doute partir dans deux ou trois jours voir Rivière chez ses grands-parents au Domaine de Cenon, pour une quinzaine [2].

— Denis nous a offert spontanément la collaboration à l'*Occident*, un jour que nous faisions la connaissance de Roussel, Vuillard, Bonnard, Lacombe, Maillol... Nous le savons trop réservé et hautain malgré sa douceur et sa gaieté, pour ne pas user nous-mêmes de cette autorisation sans une grande réserve. Rivière va cependant envoyer une « Dissertation » sur sa terre des Landes (Occidentale [3]) pour juillet ou août, puis son grand article complètement remanié sur Claudel et qui s'appellera « Claudel, poète chrétien [4] ». J'enverrai, pour octobre sans doute, des vers.

Il a été question que Monsieur Frizeau retarde son départ annuel de Bordeaux, en août, pour m'attendre.

Nous irons presque sûrement, grâce à lui, voir Jammes.

— Quoique renonçant à l'Université

Je reste

ton ami

H. Fournier

---

2. Après son échec et la nouvelle que la jeune fille du Cours-la-Reine était mariée, Fournier est invité par Rivière du 3 au 17 août chez ses grands-parents à Cenon, près de Bordeaux.

3. *Méditation sur l'Extrême-Occident* paraîtra dans le numéro 68, juillet 1907 de *l'Occident*, pp. 19-25.

4. *Paul Claudel, poète chrétien*, voir lettre précédente du 24-09-1906.

16.

Bichet à Fournier[1]

Monsieur Henri Fournier

La Chapelle d'Angillon (Cher)

Pithiviers, 24 septembre 1907

Mon cher vieux Fournier,

Ceci est une lettre de renseignements. Je ne t'ai point oublié, mais j'attendais d'être libéré pour t'écrire ; aujourd'hui, c'est chose faite — depuis quatre jours déjà [2] — et me voici rendu à la monotonie des champs beaucerons et aux rues pithiviennes où les chats accroupis regardent les dernières hirondelles. Je reste ici, à très peu de chose près, jusqu'à mon entrée, c'est-à-dire 2 novembre ; je m'emmure, pour me remettre à travailler ; travailler scolairement d'abord (j'ai trouvé Sophocle et autre vieux Crouzet, et mes topos de l'autre année) ; personnellement aussi (écrire des « devoirs de vacances », peut-être, — ou plutôt au hasard des chemins ? je t'enverrai, veux-tu, mes manuscrits — non pour avoir une

---

1. Lettre inédite de René Bichet à Henri Fournier.
2. René Bichet vient de terminer son service militaire.

opinion, mais pour te dire bien mon amitié). A peine ai-je fait une petite provision de bouquins : *Connaissance de l'Est* [3], *le Livre d'Images* [4] que malgré tout je n'aime guère, et, un jour de chemin de fer, *les Diaboliques* [5], rétrospectivement très bien.

Reçu *Vers et Prose*, qui commence à en prendre à son aise avec les dates de publication. C'est éternellement la même chose, un tas de, à mon avis, crétins et impuissants encombrent ces pages où Fort laissait deviner tout autre chose ; Fort à beau se piquer de désintéressement, de largeur d'esprit : il a une « formule » hors de laquelle, pour ceux qui voudraient y paraître, point de salut ; un horrible cliché — des nouvelles prétentieuses et concises, des fantaisies qui tendent à la pensée ; au fond, est-ce malin d'aller à la ligne vingt fois par pages et de mettre des majuscules à Rêve, Amour, Poésie, etc. ? moi, je n'entends pas la Beauté comme ça. Ils veulent être symbolistes coûte que coûte ; mais où a marché depuis le symbolisme, et pour y faire entrer Claudel ou Jammes il faut bougrement les faire souffrir.

S'il naissait un poète en Beauce, il aurait deux grandes belles choses à exprimer : la justification du Midi et la lassitude du soir. Mais jamais un Beauceron ne sera poète.

Où, décidément, fais-tu ton service ? si je me souviens bien, tu m'as parlé naguère de cavalerie ; je te vois si peu, mon pauvre cher, à trois heures du matin balayant une écurie ! J'ai vraiment souffert, cette année ; je te l'ai assez souvent dit. Il n'y a eu que l'été pour me consoler un peu, quand on était, au lever du soleil, dans les pleins bois de Sologne. Le soir surtout, à moins d'une chambre en ville (et encore, même dans ce cas, allumer du feu, ne savoir comment se réchauffer !) que veux-tu faire ! Il y a les bars et les femmes, pour beaucoup ;

---

3. *Connaissance de l'Est*, de Paul Claudel ; *cf.* lettre du 28-08-1906.

4. *Le Livre des Images*, de Rainer Maria Rilke, recueil de poèmes paru en 1906. S'il s'agit de ce livre, on peut se demander si Bichet l'avait lu dans le texte ou s'il existait déjà à cette époque en traduction française.

5. *Les Diaboliques*, de Barbey d'Aurevilly (1874).

comme disait ce grotesque petit Mélinand [6], c'est vite d'un monotonie lamentable.

Écris-moi et donne, please, nouvelles de Rivière, — que je voudrais tant voir imprimé dans *Occident*. Tu sais, je suis toujours ton vraiment *ami* — en dehors de toute sympathie en nos maîtres —, et tu ne voulais pas autrefois, à Lakanal, mais tu veux maintenant.

René Bichet

Je relis ma lettre. Rien de ce que je voulais y mettre.
Je l'envoie telle quelle cependant. Tu sentiras.

---

6. Sans doute s'agit-il du professeur Mélinand, mais cela semble contredit par le paragraphe suivant où Bichet parle de « la sympathie en nos maîtres ».

17.

Bichet à Rivière [1]

Mercredi 12 août 1908

Mon cher ami,

En t'écrivant, je réponds un peu à Henri, dont la lettre m'est arrivée à l'instant même ; elle m'a hélas trouvé dans une Histoire romaine, mais l'Histoire romaine immédiatement s'est disséminée par terre. Il est dix heures, on ne sait pas encore s'il fera très doux ou très chaud ; les soldats passent au bout de ma rue ; hier, j'ai été tout l'après-midi en pleins

---

1. A partir de cette lettre, Bichet commence une longue correspondance avec Jacques Rivière que nous croyons devoir insérer dans ses échanges avec Fournier, comme nous le ferons un peu plus loin pour le dialogue avec André Lhote. Les quatre amis sont de plus en plus liés par les mêmes intérêts et les mêmes enthousiasmes. Au fil des années, les déplacements des uns et les rapprochements des autres font que l'écheveau de ces relations forme bientôt un dialogue à quatre qui se répercute de l'un à l'autre sans exclusive. Il est d'ailleurs passionnant de voir ainsi élargie la réflexion des quatre amis par ce que chacun apporte de personnel et de spécifique à leur recherche. Alain-Fournier écrit moins que Bichet, et pendant deux ans il est absent de Paris, c'est peut-être pourquoi Bichet se tourne vers Rivière comme vers le lien le plus stable de leur amitié commune. Cette correspondance est inédite.

champs, et j'ai senti le vent grandir peu à peu, comme par
saccades, jusqu'à l'immense souffle du crépuscule ; les fleurs
de luzerne sont d'un violet-gris incomparable. Je voudrais
être peintre pour flanquer sur une toile des paquets de couleurs ; je n'aurais que deux tons dans ma palette, le blanc
d'acier fondu et le sombre (rouge noir, lie, terre brûlée) : il
n'y a que ça ; avec ça on peut tout rendre — toutes les heures
du jour : le bleu n'existe pas, ni même l'or.

S'enfoncer dans la couleur jusqu'à en atteindre le fond — ce
qui brûle dans le blanc du ciel ou ce qui mouille le violet du
dessous des bois. De même dans l'âme vivante (âme, mystère,
rêve, c'est embêtant d'employer ces mots-là, trop galvaudés ;
mais quand on y met autre chose que le commun des ubus,
pas la peine de chercher plus loin). J'ai déjà écrit ça à Henri. il
y a au moins deux façons de rendre le « mystère » de la vie et
de l'amour : transpositions comme en une douceur vague de
rêve — ainsi certaines choses de Fournier — ou exaspérations
du geste et de la couleur — ainsi, je crois, moi de temps en
temps.

J'ai confusément écrit pas mal de pages. Je les relis et m'en
dégoûte. Ça jaillit dans un moment d'« inspiration » (au sens
propre, dirais-je), mais tout de suite c'est déraillé, et le lendemain on ne s'y reconnaît plus. Corrections, corrections ; il est
vrai que des lecteurs qui ne savent pas corriger on se moque) ;
mais tout de même... Et puis, influences, plutôt vingt que dix
celles-là, et ce qu'il y a de terrible c'est que la volonté n'y peut
rien. Elles s'en vont d'elles-mêmes à leur heure ; il faut
attendre.

Il y a une histoire que je ne t'ai pas dit — que plusieurs fois
j'ai été tout près de te dire — ainsi le soir où je suis venu rue
Dauphine en uniforme. Mais ces choses-là ne s'écrivent pas.
Cependant, je n'ai pas revu depuis le 11 juin, 4 heures du
soir, une femme royalement et doucement belle — celle dont
le souvenir me faisait, malgré toi, préférer parmi les mélodies
de Debussy le « Colloque sentimental ». Je te dis ça parce
qu'il le fallait — en sachant combien ce qu'on dit, plus encore
que ce qu'on écrit, vous devient tout de suite étranger, du
moins selon l'aspect revêtu dans l'esprit du lecteur.

Alors, tu comprends, je pense et sens des choses nouvelles.
De plus en plus je suis persuadé que : il y a deux sortes de
rhétorique, celle des gosses qui commencent à écrire, placage
de phrases romantiques, et celle des maîtres (Claudel, Gide,
Villiers) ; entre les deux, la naïveté, la simplicité, le bavardage, tout ce que tu voudras ; c'est-à-dire entre les deux, Jammes. Jammes s'est — volontairement — arrêté là où l'on
passe. Il a juste l'intérêt de la morale ou du système métri-
que : il faut l'avoir su pour l'oublier.

Je suis persuadé encore que : comme dit à Henri, quand on
est l'ennemi de quelqu'un on est son élève. Il faut distinguer :
je ne parle pas de la « Forme » quand on ne voit dans
quelqu'un que cela à imiter ou à détester ; je parle des poètes
chez qui on peut prendre des Idées et des Phrases — et que, si
on attaque les Idées, fatalement au début on adopte les Phrases. (Cela, n'oublie pas, en pensant surtout à Gide.) Mais ce
n'est là qu'un cas, et le moins intéressant, de ma remarque. Il
est certain que pour moi l'ennemi, ç'a été Jammes ; maintenant, c'est Gide, aussi Claudel ; l'an prochain, quand je ferai
un mémoire, ce sera le type avec qui je travaillerai, toujours
pour la même raison.

Je suis persuadé enfin que Villiers est plus grand que tout.
Je viens de lire *Akédysséril* [2] (car c'est le soir à présent). Je me
représente, physiquement, avec ses longs cheveux, les reje-
tant toujours en arrière comme ses ancêtres les croisés — ceux
qui sont à Versailles — faisaient de leur plumail. Sa phrase à
lui est, à mon avis, juste le contraire de la phrase romantique,
et le type de cette éloquence dont je parlais : parce que c'est
trempé de réalité, mouillé de vérité profonde ; le style romantique flotte sur du vide ; le style de Villiers est lourd comme
une toison qu'on retirerait à bout de bras d'un grand bassin
de pourpre. Par exemple, Différence de sa « description »

---

2. *Akédysseril*, nouvelle de Villiers de l'Isle-Adam, parue le 25 juillet
1885 dans la *Revue Contemporaine*. Cette évocation de l'Inde dans un style
splendide parut aux contemporains surpasser la reconstitution plus appli-
quée de *Salammbô* par Flaubert. Léon Bloy alla même jusqu'à déclarer
que c'était là l'une des plus belles et grandes œuvres de ce siècle (cf. *The
Life of Villiers de l'Isle-Adam*, par A.W. Raitt, Oxford 1981).

(j'emploie ce mot-là parce que je n'en vois pas d'autre) d'Akédysséril avec celle de la reine de Saba dans Flaubert — ou encore certains passages de *Salammbô* ; les femmes de Flaubert ne sont plus que des accessoires d'opéra-comique.

Ce qu'on peut trouver à lire ici : les œuvres complètes de Maupassant et de Daudet (oh la la ! la sentimentalité stupide de *Pierre et Jean*, que j'ai lu à cause de la préface !), les romans de Sudermann, Hauptmann et autres mann — chose inouïe, à la Bibliothèque pédagogique, entre deux bouquins de Lavisse et de Gréard, il y a le *Semeur de Cendres*, et le théâtre de Becque. Du reste, on n'achète jamais de Becque que le tome II, attendu que le premier contient les pièces pas célèbres ; n'importe, il y a dans les *Corbeaux* et dans la *Parisienne* tout le théâtre actuel des boulevards ; à ça près que le gros financier et le député socialiste n'étaient pas encore inventés à ce moment-là.

Je ne suis pas sûr d'avoir bien compris l'histoire de plaquage que me raconte Fournier. Il raconte très mal, ce jeune homme : « lisez du Voltaire ». En tout cas, bien entendu, ce n'est rien. Et je t'imagine dans les bois humides qui pour moi ont toujours caractérisé La Chapelle.

J'écourte pour avoir le temps de te copier une ou deux pages que j'insérerai dans ce papier au grain neigeux. Tu me diras ce que tu as fait, ou plutôt ce qu'on a fait de ton *Introduction* [3] ; et je te rappelle que tu me garderas *l'Occident* où doit paraître le poème de Jammes. Pour ma satisfaction personnelle, dit Max Dearly dans le *Roi* [4].

Mes bons souvenirs à tous. Te serre la main — mollement

---

3. *Introduction à une Métaphysique du Rêve* ; cet essai de Rivière, très profond et très original, lui sera finalement rendu par Rouché à qui Rivière l'avait proposé pour la *Grande Revue*. Gide l'accepta pour sa toute jeune revue : la *Nouvelle Revue Française* où l'essai sera publié dans le numéro de novembre 1909.

4. *Le Roi*, comédie en trois actes de Robert de Flers (1872-1927), Armand de Cavaillet (1868-1915) et Emmanuel Arène (1856-1908), représentée le 24 avril 1908 à Paris.

suivant notre habitude à nous deux — comme le soir, à dix heures, au coin de la rue de Tournon.

R.B.

« *Raconte-nous ta vie, Ménalque* », dit Alcide.

D'abord il refusa. L'ombre (était-ce bien de l'ombre, ou un jour plus poussiéreux, plus voilé, avec des échappées de rousseurs tristes, comme le sourire d'un amant ?), l'ombre était si tranquille que le moindre mot, ce semble, et le moindre geste l'eussent brouillée, salie. Et puis, comment raconter une grossière vie humaine dans ce bois où le seul bruit perceptible fut la chute d'une feuille sur l'épaule de Diane ? Pourtant quand Geneviève, en dérangeant une ronce, eût fait crisser des étoffes, il se décida.

« Voici, dit-il, la chose dont je me souviens ce soir. Un midi de mai, en sortant du parc, alors que tout chancelant je regardais les tulipes et les roses, les roses douces, moites, et encore plus chaudes et encore plus douces, je n'oublierai jamais dans la rue montante cet homme qui fendait la foule en levant au-dessus de sa tête un bouquet jaune ! Le printemps tout d'un coup m'en parut plus beau — rappelez-vous comme il fut tardif cette année-là, et qu'il éclata brusquement, pareil à un Dieu qui vient de se baigner, doré, humide... Puis, une aussi riche vision demandant à s'enrichir encore, je pensai à la femme que j'aimais. Vous savez combien elle était belle. Vous savez quel orgueil je puisais dans la conscience de ma passion, tellement que l'orgueil toujours, plus que la tendresse, m'a semblé le propre de vraies amours. Eh bien, jusqu'à la nuit je rôdai par les rues, seul au milieu du peuple, caressant son image comme un fruit dont la main épouse la rondeur ; tantôt je la voyais de profil avec une précision de camée ; tantôt ses grands yeux aux sourcils ambigus m'éclairaient de pleine face, ou bien elle souriait, comme ce premier jour où avant de m'adresser la parole si longtemps elle me regarda. Quelquefois elle m'apparaissait couronnée de fleurs jaunes, car mes deux visions de cette soirée-là s'exaltaient l'une l'autre

jusqu'à se confondre ; même, cela devint si obsédant que je
m'arrêtai tout court...

« Mais allons, s'écria-t-il, je n'ai rien à dire, ma mémoire
n'a rien de plus à dire ! Demain peut-être, ou quand la couleur du ciel sera moins douloureusement sombre ! Pour ce
soir, oh chérir le passé encore tiède ! laissez mon âme s'enfoncer dans le souvenir comme le savant qui se prend la tête
entre les mains ! »

Il y eut un long silence, pendant lequel le crépuscule
demeura semblable à lui-même. Bientôt, apaisé, il reprit :

« Quand vous me poserez de telles questions, voyez, chaque
fois ce sera la même chose. Je ne vous raconterai pas ma vie.
Je le voudrais que je ne le pourrais pas. Sûrement vous
m'interrogerez encore — et même, j'en jurerais, le premier
soir pareil à celui-ci, dès qu'il suffira pour vous rendre triste
d'errer entre les roses devenues ténébreuses... Alors comme à
présent, j'essaierai de parler, mais un souvenir terrible mon-
tera me serrer la gorge, et jamais mon récit, puisque vous y
tenez, ne sera l'immuable filet d'eau claire dans le bassin
clair, mais cette unique goutte qui tombée du haut des roches
émeut le reflet du soleil et semble de rouge éclabousser les
passants ! »

Comme il disait ces mots, des oiseaux chantèrent, et la lune
étant près de se lever, le bas du ciel devint si pâle qu'on ne
distinguait plus les étoiles. Nous étions très émus par cela
même qu'il y avait dans cette scène de théâtral et en apparence de naïvement artificiel ; mais cette emphase, à la bien
prendre, n'était-elle pas sincère ? Abîmé dans le souvenir, il
restait debout près d'un arbre ; nous l'avons laissé, nous sommes partis, et tandis que nous revenions à la ville, nous sen-
tions derrière nous éclater l'hymne des désolations lunaires.

Cette déchirure de ta face, Lune, que tu penches vers moi,
pareille à un trou de guêpe dans une pêche, il me plaît de dire
ce soir que c'est le grand cirque de la Désolation, et l'étendue
plate auprès d'elle l'océan des Tendresses.

J'ai aperçu le dos des carpes sauter dans le bassin et Artémis
tout d'un coup surgir comme une danseuse. Pourtant, ce
n'est plus comme autrefois. Lune, hélas ! ce n'est plus comme
dans ma jeunesse, quand mon âme à ta seule vue éclatait en
une chanson intérieure telle que l'explosion d'or des balsami-
nes. Ce n'est plus, par la fenêtre de ma chambre, cette blancheur lavée d'azur, si molle qu'on la sentait couler entre les
doigts. Ce n'est plus tant de naïveté, ce n'est plus tant
d'idéale fraîcheur. Ce n'est plus !

Rien de ce qu'on peut rêver, nul récit de voyages, nul sanglot poétique, ne valent, Lune, cette simple ligne de tes
ombres couleur de cendre sur cette plaine de quelle couleur ?
personne n'a jamais su de quelle couleur : ni jaune, ni blanche, ni grise comme l'herbe morte, ni verdâtre comme un
marais desséché... Ah ! si les tristesses de la terre connais-
saient semblable pâleur, si les amours de la Terre connais-
saient une pâleur aussi désespérément emphatique — ce serait
tellement beau peut-être que la souffrance à la fin se dépre-
nant d'elle-même, jamais plus on ne souhaiterait mourir.

R.B.

18.

Fournier à Bichet

Mardi soir 10 août 1908 [1]

Mon cher ami,

Je suis à La Chapelle, en permission de dix jours, depuis samedi. Mon examen d'élève officier, au Mans, est terminé. Je ne crois pas être reçu [2].

J'écris, chez ma grand-mère, dans la chambre du devant, qui donne sur la route, au milieu du désarroi causé par un « plaquage » monstre de Jacques. Sur la grand-route qui traverse le bourg, d'une côte à l'autre, en plein soleil, nous essayions des vitesses et des tours. Il a voulu faire « encore plus fort » et à genoux sur le siège, s'est flanqué sur le dos. Les vieilles femmes, qui cousaient au fond des obscures peti-

---

1. La date du 10, écrite postérieurement au crayon est fausse. Cette lettre répond en effet à celle de Bichet à Rivière au moins sur deux points précis.

2. Alain-Fournier sera en fait reçu à cet examen. Il en recevra confirmation définitive le 7 septembre en pleines manœuvres à Cormeray dans le Loir-et-Cher (JRAF II 238, 8/08/1908). Il a désormais le grade de sous-lieutenant.

A son tour, Fournier commence à envoyer des poèmes à son ami comme il le faisait déjà avec Rivière.

tes maisons, se sont précipitées avec des cris et des flacons de
vinaigre.

Ta lettre de l'autre jour m'a beaucoup intéressé. Je l'ai trouvée en rentrant du Mans à minuit, chez moi, dans la maison
déserte, noire, où le plancher craquait. Je vais t'en reparler.

Ce que tu me dis de mes lettres et de la cassette où tu les
enfermes me donne un remords. Peut-être (en tout cas, je ne
devrais pas le dire) les ai-je écrites trop négligemment, ces lettres ; sans assez d'abandon ni de dévotion. A qui la faute ? Je
demande quelqu'un qui croie et qui veuille, quelqu'un pour
qui tout soit possible, auprès de qui tout soit possible — un
pour qui rien n'existe mais seulemet son désir. Je te voudrais
comme moi et que, dans ton pays comme dans le mien, on se
sente parfois assez fervent et assez haut pour rencontrer son
amour au détour d'un chemin !

A quoi bon appeler un compagnon si lui aussi est écrasé par
les doutes, anéanti par les impossibilités ? Je te voyais trop sur
les routes sans but de la Beauce indifférente, penser : « Il y a
cela et rien de plus ; je suis au milieu de la terre ; et ma misère
est grande ! »

Mais maintenant un grand amour est venu. Et maintenant,
n'est-ce pas, il n'y a plus la plus petite impossibilité. Force
secrète, délice qui fait presque sourire. Celle que j'aime est
loin et perdue et pourtant, quand on parle d'amour auprès de
moi, la force de notre amour est mille fois plus forte que moi-
même et plus près de moi que le battement de mon cœur.

Jacques a dû pressentir, en toi, cela. Il te demande de lui
écrire. Il te répondra « à fond ».

Nous parlons beaucoup en ce moment de ce que nous voulons faire et de ce que nous avons commencé. Après subtilités ; phrases qui se déroulaient le long des haies ; je disais :
mon livre sera ce roman d'amour que rêve Mesa « ... Et qu'on
ait seulement le temps de dire : Ah !... »

Pour l'instant, je suis terriblement anéanti. Je me sens ici
de passage, sans le temps, seulement, de m'accouder à la
petite barrière blanche et de réfléchir. Pour la première fois
de ma vie, en venant de Paris, et les deux premiers jours, je
me suis senti distrait et morne, incapable de « comprendre »

une fois de plus ma campagne, incapable d'y imaginer les chères âmes dont je la peuple, et les délicieuses histoires qui s'y passent, de l'autre côté des routes, au bout des lourdes allées de marronniers. A deux heures, début de la soirée, tout fait la sieste dans les champs ; sur les routes vibrantes de soleil et lourdes d'ombrages, je passe comme le roi du domaine que j'ai créé, et j'ai découvert pour les jeunes âmes cachées, aboutissant à un coin de route : un chemin de domaine interdit aux automobiles.

Hier en bicyclette, ce que je viens de dire. Mais le jour d'avant, au soir, quelle horreur, quelle nuit, quel silence ! Au point que penser à elle je n'ai pu le noter autrement qu'ainsi :

(Ceci ne servira jamais à rien, ne répond à rien et est déjà perdu pour tout autre que pour toi.)

Essai de Transposition

C'était ce soir où la grande rosée descendait sur les prairies et dans le jardin. Comme un grand animal mystérieux qui remonte avec la nuit vers les maisons, elle était revenue, dressée derrière la haie et me regardait. C'était son regard encore, si pur, que le mien ah ! se remplissait de larmes. C'était elle encore, près de moi : par ce soir où je suis mort, délice épouvantable ! Comme un rêve qu'on raconte, où les défunts sont apparus : « J'étais dans le jardin — et l'on baisse la voix —... »

Ah ! il s'agit bien de baisers et de main sur l'épaule — mais les noces sont finies et nous sommes tout seuls dans le grand champ de brume ténébreuse ; et jamais la pureté de notre mystérieux amour ne m'a fait aussi peur. Il n'y a plus personne entre nous et vous êtes en face de moi ; mais le saisissement de cette gloire sans nom : regard si pur où toute douceur se fond ; beau corps habillé ; et jeune âme de femme, rose, dans le soir tombé, qui me regarde — ah ! gloire trop impassible pour être si près de moi.

Trop de douceur : l'épouvante me gagne ! et c'est une défunte épouvantable, une morte depuis longtemps, que voici dressée de l'autre côté de la haie. Ce regard qui fait fondre le

cœur, tant il est pur, est insistant et fixe comme celui de la
grande Bête qui rôde le soir. Ou bien que ce soit simplement
une étoile, perdue entre les branches des ifs, par ce soir brumeux d'été où je suis mort aussi.

H. F.

Je trouve dans ta lettre deux passages tout à fait essentiels.
« " Raconte-nous ta vie, Ménalque ", dit Alcide ; Ménalque ne peut pas raconter sa vie — il n'a qu'*un* souvenir et
oppressant. »

J'évite cependant de disserter là-dessus. Je lisais cela couché, à une heure et demie du matin, rue Dauphine, seul, et
pas assez ému à mon gré du départ le lendemain matin à six
heures.

2e « celui par rapport à qui on se détermine — en ennemi
souvent, ce qui revient à dire en élève ».

Mais ceci se rapporte à autre chose. Rivière m'écrivait dernièrement que ses deux grandes haines du moment étaient
Lhote et moi. Une autre fois, il considérait Claudel et moi
comme deux ennemis. Ta dernière lettre l'a fait s'intéresser
beaucoup à toi, à cause du désir de réfutation qu'elle lui a
donné. Voici un cas particulier qui semble te donner raison.

Mais à toutes ces gloses, je préfère la phrase qui fasse dire
« Ah ! », comme après un baiser ou un verre d'eau.

Je me rappelais à midi, aujourd'hui, la façon dont tu dis
(quand je n'admire pas encore assez, à ton gré) : « ah ! mon
vieux ! » avec le mouvement de lever un peu la tête, et de se
mordre les lèvres.

J'ai lu Nietzsche, une dissertation de *La Généalogie de la
Morale* [3]. J'y vois une grande habileté, une grande force de
moquerie, une haine terrible du christianisme. Surtout c'est
quelque chose d'essentiel par où il faut avoir passé et où nous
sommes tous inconsciemment passés. C'est un peu « notre
père à tous ».

---

3. Voir lettre 24.

Simone Le Bargy jouait du piano admirablement, d'après
A.-Émile-Sorel, surtout du Debussy, son adoration.

A part Mounet-Sully, dit Gide dans une lettre à Angèle [4],
que tu connais, je ne connais pas d'acteur plus grand que de
Max. Quand jouera-t-il *Marc-Antoine* de Julius Caesar,
quand... etc., etc., quand, le *Saül* de Gide ?

Et nous ajoutons : quand le *Tête d'Or* de Claudel ? Quand
la chère Suzanne Després jouera-t-elle la *Jeune-Fille-Violaine* ?
Lhote qu'une place de dessinateur [5] trouvée par Morice amè-
nera probablement à Paris, veut, comme le lui a soufflé
Rivière, faire jouer Claudel [6]. Il est d'avis, comme moi, que
des acteurs le joueraient moins bien que des amateurs sans
éducation théâtrale.

En es-tu et quel rôle retiens-tu ?

Je te serre la main.

Henri

P.S. : Maman a trouvé ta carte exquise et t'en remercie.

---

4. Lettre de Gide à Angèle. De 1899 à 1900 Gide écrivit 13 lettres à
Angèle. Elles furent reprises dans *Prétextes*, en 1903.

5. Dans *Paris-Journal* Lhote fera en effet des dessins pour illustrer chaque jour de la semaine.

6. De ce petit groupe d'amis naîtra un projet que Rivière soumettra
d'abord à André Gide, puis à Claudel, lui-même alors en Chine. Mais ce
dernier s'opposera d'abord catégoriquement à sa réalisation.

19.

Rivière à Bichet [1]

La Chapelle d'Angillon, dimanche 16 août 1908

Mon cher ami,

Les forts ont droit à tout. Mais il faut être fort. Les forts ont le droit d'avoir une rhétorique ; ils en ont même le devoir. Je ne vois pas pourquoi le balbutiement, le pépiement seraient le style par excellence, pourquoi il faudrait craindre toute phrase, retrancher toute éloquence. Mais il faut que cette éloquence soit nécessitée, que cette phrase soit autre chose qu'une phrase, qu'elle soit, comme chez Villiers, l'énonciation spontanée d'une âme de haute race, ou, comme chez Gide, le geste sonore d'un désir qui s'élance et enlace. Jamais je ne t'ai reproché ton système de tout exprimer en éloquence, je me suis simplement retenu d'admirer quand cette éloquence parlait à vide. Moi aussi je déteste Jammes pour son volontaire arrêt en ce qui ne peut être qu'une phrase. Moi aussi je veux avoir un style, mais que ce style toujours reste une parole. Quand j'écrivais mon *Introduction*, je commençais des descriptions de rêves sur un souvenir précis que j'avais ;

---

1. Lettre inédite de Jacques Rivière. Celles de Bichet ont été conservées contrairement à celles adressées à Fournier.

puis les mots affluaient et, la nouveauté de leur mutuelle
organisation m'entraînant, j'écrivais, inspiré croyais-je, cou-
vrant deux pages d'un trait, ce qui est beaucoup pour moi. En
relisant j'étais enthousiasmé et m'adressais les plus sincères
félicitations. Mais le lendemain, c'était comme une feuille
desséchée, je ne comprenais plus ce que j'avais pu trouver de
bien là-dedans ; et je classais cela au dossier des *notes*, qui,
pour chaque travail que j'écris, finit par devenir six fois plus
épais que le travail lui-même.

Je sais bien que le travail de mosaïste de Flaubert ou de
Baudelaire, s'il peut produire un style fort et serré, ne donne
jamais un grand style. Mais je crois que l'élan spontané des
mots, cette façon qu'ils ont de surgir tumultueusement et de
s'arranger d'eux-mêmes à mesure qu'écrit la plume, demandent à être corrigés par une révision profonde et surtout une
condensation dans laquelle les sacrifices ne doivent pas être
épargnés.

Et puis, bien que de tous on ne puisse exiger un plan préa-
lable très précis, tout le monde a le devoir de savoir à l'avance
dans le plus petit détail ce qu'il va dire. Sans doute des inci-
dences peuvent survenir au cours de la composition qui modi-
fient jusqu'au plan initial. C'est connu. Mais alors on recommence. En un mot — c'est toujours la même chose —, il ne
faut jamais parler simplement pour parler, il ne faut pas
s'embarquer sur l'indication purement musicale d'une phrase
en attente, dans un désir de métaphore, que ne coordonne
aucune intention générale.

J'ai un peu honte de faire ainsi le pédagogue avec toi. Mais
c'est un peu pour t'exprimer les raisons de mon admiration
très sincère pour ton dernier poème. Là — avoue qu'il n'en a
pas toujours été partout ainsi — tu as su à l'avance ce que tu
voulais dire. Et ce que tu voulais dire était précieux et profond. Aussitôt, à part quelques petites faiblesses, les phrases
ont pris une convergence, une union très belles, et par là
même une justification qui leur donne toute leur portée. Ce

n'est plus du tout la collection d'épigraphes, qu'est parfois, souvent, un poème de Suarès.

J'ai horreur du fragmentaire. Je déteste les pensées détachées, qu'on désigne d'ailleurs par des mots horribles comme : aphorismes ou (pour la qualité supposée inférieure) apophtegmes. J'aime la rhétorique, moi aussi, mais surtout en tant que principe d'union, qu'art du groupement, de la présentation, de l'enchaînement des idées. Et par là, je ne veux pas dire naturellement les affreux et ankylosés préceptes, dont les professeurs affirment l'infaillibilité pour la confection du devoir français. Le « développement » peut avoir des formes infinies, depuis celle de l'énumération jusqu'à celle du rayonnement ; mais jamais il ne doit être ordonné par le hasard.

J'ajoute comme deuxième excuse à ma crise de pédagogie que j'ai voulu expliquer certaines choses, qui sous la forme sommaire que je leur donnais en te les exprimant oralement, ressemblaient affreusement à des vérités de La Palisse (il faut concentrer pour faire court et dense, etc.).

Je passe à l'idée de ton poème, et ce que je dirai sera en quelque manière une réponse à ta confidence et un remerciement.

C'est en effet une des choses qu'il importe de répondre à Gide. C'est qu'au-dessus de *tout*, il y a encore quelque chose, à savoir *une chose*. Sans doute il faut d'abord aimer tout, il faut d'abord se donner à tout, et ne pas connaître de préférence, il faut être ivre d'accueil et de vide intérieur, il faut se proposer les yeux fermés, à toute rencontre. Mais on ne peut rester là ; car on ne peut rester nulle part. Et il nous faut recommencer à préférer, recommencer à saisir uniquement, à ne plus connaître qu'une chose et tout le reste n'est rien ; et c'est notre vie ; et le refus de tout excepté une chose est un accueil bien plus profond, que l'accueil de tout (qui est un refus partiel, comme il sera expliqué plus tard).

Il sera expliqué bien des choses plus tard. Tout sera expliqué et justifié. Chaque vie deviendra légitime, parce qu'on lui enlèvera toute espèce de raison. Mais je ne veux pas m'amuser davantage à ce petit jeu de devinette, ni entrer dans des explications qui deviendraient immenses.

Mon *Introduction* est toujours en panne à la *Grande Revue*. Je viens d'écrire à Rouché pour tâcher d'en avoir des nouvelles. Je n'ai pas encore commencé l'étude sur Villiers.

Nous avons fait avec Henri d'assez belles promenades à bicyclette dans les environs, une en pleine Sologne (« longue comme un railway »), une autre à Sancerre, ville huguenote sur un coteau abrupt.

Henri compte que tu répondras à cette lettre-ci, en s'adressant à lui, suivant ton habitude. Mais comme il quitte demain La Chapelle pour le 104 [2], je compte que tu m'enverras un double.

Pour une autre fois : je crois très bien et j'admets que le littéraire peut être spontané.
Bien à toi,

Jacques Rivière

---

2. Fournier, après avoir été dans la cavalerie au début de son service, avait été versé au 104e régiment d'Infanterie cantonné à Latour-Maubourg.

20.

Bichet à Rivière

Pithiviers, 24 août 1908

Mon cher ami,

Ceci n'est pas un double de ma lettre à Henri. J'ai été ces
derniers jours vraiment un peu fatigué, je ne sais pas pourquoi : maux de tête, impossibilité de penser et d'agir. Maintenant que c'est fini, délice que c'était ! toujours les sourcils
barrés, toujours l'envie folle de sortir et une fois dans les
champs le désir de rentrer, des ruminations comme Mélinand
n'en a jamais connu, et perpétuellement un souvenir, si près,
si fort, que les actes courants de la vie se font dans le lointain,
et que parfois, venant de dire une phrase, je me scrutais pour
savoir si je l'avais bien dite ou seulement projetée. J'ai vécu
dans une « ferveur » inouïe. Il m'est venu des tas d'idées —
qui probablement ne seront jamais écrites. Je sens cependant
qu'il y aurait peu de chose à faire pour que la plupart des
morceaux — ceux que tu as lus et les autres — s'organisent, se
vivifient et se justifient ; mais (ça, je l'ai dit à Fournier), trop
de choses sont trop claires dans mon esprit, et rien n'est poéti-
quement exprimable, rien ne saurait faire dire Ah ! s'il n'est
par-delà ou par-deçà la conscience. Il faudrait d'ailleurs des
mots tellement chauds, tellement pleins d'or et de poussière,

pour rendre les couleurs ou les gestes qui me hantent depuis longtemps — que c'est encore au-dessus de mes forces.

Pour être dogmatique :

1) Une chose plus que tout — accueil bien autrement profond et total que l'abandon de Ménalque — lequel du reste est une phrase nécessaire.

2) Souvenir et amour.

3) Si vous m'offrez toute votre vie, moi, je ferai mieux encore : je n'ai rien à vous donner ; ma vie ne se donne pas (*Trésor des Anges* [1]).

4) La création du monde par le Souvenir : avant moi, les choses *sont* ; je leur confère le droit, la possibilité d'*avoir été*.

Peut-être vais-je commencer un assez long morceau « Eritis sicut Dei [2] ».

Je t'envoie *Chant d'amour*. Ne crois-tu pas, toi, au Silence intérieur — pas celui de Maeterlinck et de Novalis qui est une sorte de brume où Dieu et l'homme se rencontrent comme des voyageurs sur une route de septembre, échangeant leurs noms et puis s'en allant — mais une chose vivante par-dessous la voix et le cœur —, où l'on sent quelquefois, dans les heures de grande émotion, que la parole se reflète ? Ne crois-tu pas aussi que le choix, dont Gide veut faire une souffrance, serait une souffrance si la Raison ou la Parole choisissait, mais qu'en vérité il est fait par un Dieu en nous, et dans le moment même où nous le désirons et comme nous le désirons, de sorte qu'il est accepté et prononcé dans le même temps ? Ne crois-tu pas qu'il y a une Vie profonde et calme où l'on se replonge à de brefs moments, un peu comme le jour se replonge dans la richesse de la Nuit ?

Je suis persuadé de toutes ces choses. Quel langage — il faudrait ! C'est un peu pourquoi j'aime Burne-Jones, sans

---

1. *Trésor des Anges*, essai de Bichet dont nous n'avons pas retrouvé le texte.

2. « Eritis sicut dei », parole du serpent à la femme dans la scène de la tentation : Genèse III, 5.

l'admirer : son œuvre la plus caractéristique, c'est « Amour dans les Ruines » — des amants pour qui la contingence n'est plus, mais a été, pour qui tous les jours n'étaient pas, mais sont à présent des lendemains. Seulement, chez Burne-Jones, ils s'en désespèrent, ils en rêvent tragiquement. J'y vois plutôt, moi, une grande force, et la suppression d'un tas d'impossibilités.

Mardi 25

J'ai dû m'interrompre hier ; migraine, lit ; et puis, ma mère est très souffrante. En ce moment, je n'ai plus guère d'autre courage que d'écouter par ma fenêtre un phonographe qui hurle des marches militaires. Mais ce n'est que passager. Je voudrais lire du Nietzsche — *Par-delà le Bien et le Mal*[3] ; peut-être vais-je l'acheter. Penses-tu que *moi*, je *doive* lire et acheter *cela* ?

Je ne sais pas trop s'il n'y aurait rien à dire sur le « plan », la « composition », tels que tu m'en parles. Au fond, l'organisation primitive des mots est bien plus respectable que tu ne dis. Sans doute ce n'est pas la réalité — et il est vrai que le lendemain on ne s'y retrouve pas ; mais c'est le minimum de truquage, c'est le moment unique où la correction exigée du lecteur peut se faire à son insu, où, si tu veux, elle est plus petite que toutes les autres corrections habituelles, donc non perceptible, donc pratiquement négligeable. Bien entendu, ce n'est pas toujours ainsi ; mais souvent il me semble. « Pas d'absolu, des compromis. »

Et puis, souvent encore, c'est dans le premier jet que l'idée exprimée atteint son juste développement, celui en deçà ou au-delà duquel elle perdrait toute sa valeur.

---

3. *Au-delà du Bien et du Mal — Prélude à une philosophie de l'avenir*, œuvre de Nietzsche publiée en 1886. Nietzsche traversait alors une période heureuse et tentait d'édifier une nouvelle morale du consentement absolu au monde et à la vie qui trouve son expression dans le *Mythe de l'Éternel Retour*, dont Zarathoustra est le prophète.

Un exemple historique — grossier mais curieux — de l'imitation formelle de l'ennemi par l'ennemi : quand Sertorius se révolta contre Rome, vers 82, il ne sut mieux faire, pour prendre un pouvoir en Espagne, que de se nommer *préteur* et de s'entourer d'une *cohorte*. Déjà, au début de la guerre sociale, les Italiens rebelles, dans la fédération qu'ils fondèrent à Corfinium, avaient simplement copié les institutions de la république romaine, sénat, magistrats et comices. Le seul intérêt de l'histoire de Rome est peut-être de montrer cette force d'autorité, qui s'assimile par avance tous les obstacles.

Je devais m'enfoncer cette semaine en pleine campagne, près de la forêt d'Orléans, à l'époque des confitures et des batteuses. Je crois bien que je ne le pourrai pas, et m'en désole. J'ai revu l'autre jour Fontainebleau, mais j'aime presque mieux : d'une part certains prés minuscules non loin d'ici, d'un magnifique bleu Cézanne ; d'autre part la rue de Tournon.

Pardonne-moi beaucoup et écris-moi.

R.B.

— As-tu des nouvelles d'Alexandre Guinle ? Je lui ai, moi, naïf, envoyé une lettre voici quelque trois semaines, et onques ne reçus réponse.

24/08/1908

Chant d'amour

Le soleil, ce matin, entra dans ma chambre comme on pousse le poing jusqu'au fond d'un coffre plein d'or. Je m'éveillai. Mon premier mot fut un salut, une louange et une bénédiction ; car levant les yeux je voyais le haut du ciel couleur d'aubépine, et penché à la fenêtre c'étaient dans la rue montante des femmes avec toujours les ombrelles de ce prin-

temps, de si larges, de si fines, de si transparentes ombrelles
qu'on distinguait le jour se lever au travers. Cependant, une
inquiétude obscure, une indicible privation ; quelque chose à
faire ou à dire, une idée qui m'échappait, devenait toute
petite comme dans les rêves, s'évanouissait sous mes pas, et
tout d'un coup je la sentais par derrière, immense, brumeuse,
imprenable... Brusquement une odeur d'héliotrope passa,
excitant mon âme à s'ouvrir. Puis ce furent les lys. Puis, par-
dessus le village, le parfum des luzernes.

Et maintenant, il n'y a plus d'heure. A ce grand repos du
vent et de l'ombre, à ce gouffre d'immobilités comme au centre d'un tourbillon, peut-être est-il midi. Mais si les horloges
sonnent, si des pas marquent la route, si la blancheur de mes
draps quand je me retourne m'aveugle — c'est ainsi que les
lignes cloisonnent les couleurs et le temps est enfermé dans
son corselet de cuivre — n'ai-je pas, moi, mon cœur capri-
cieux, plongé dans le sang comme un homme nu dans un
fleuve ?

Voici une journée vague et sans poids. Comme il y a dans
mon âme une autre pendule que le cliquetis du balancier
(— je dirai les jours les plus longs, ceux où je t'aurais pensée
avec le plus de ferveur —), il y a une chanson qui n'est faite
pour les oreilles, une voix que la voix ne connaît pas ! plus
douce que le glissement de la lune dans le noyer, plus tendre
que le mot amour chuchoté près des cheveux ! tiède et belle
comme le filet de sang qui coule de la bouche d'un blessé, et
lorsqu'on lui dit « mais vos lèvres saignent », il répond en
souriant qu'il se demandait aussi pourquoi tant de bonheur.

O ! Jamais je ne m'étais connu un aussi merveilleux silence,
ni dans mon silence même cette source d'or blanc... Écoute.
Écoute ; ma voix baisse comme celle d'un enfant qui cherche
un papillon... Si tu sens au fond de ta poitrine une chaleur
montante, c'est mon cœur qui d'amour interroge ton cœur, et
lui-même tout bas, ineffablement, il fait après la question la
réponse.

21.

Rivière à Bichet[1]

La Chapelle, le 3 septembre 1908

Mon cher ami,

J'ai quelque remords d'avoir fait le pédagogue avec toi et je voudrais me faire pardonner, cette fois, en te disant en quoi il me semble que nous nous accordons parfaitement, au moins dans les tendances.

D'abord je veux comme toi que la littérature soit un art, un mode d'expression qui ne cherche pas à plagier le vulgaire, qui ait ses phrases et ses mots propres, qui se prescrive pour unique règle la beauté. Ceci est un accord sur le point de vue formel. Voici comme je voudrais la couleur de mon style : aucune couleur pure, rien d'éclatant et d'étalé, rien qui s'offre et faiblisse ; mais une tonalité contenue, la sourde splendeur d'une journée où souffle le vent du Sud, cette luminosité intérieure, qu'on sent n'arriver à la surface des mots qu'à travers beaucoup d'âme. « Souvent, au sortir du bain, elle marche sur cette étincelante chevelure que l'eau même ne désondule pas et en jette, devant elle, d'une épaule à l'autre les luxuriantes ténèbres comme le pan d'un manteau. » Les mots ne seront

---

1. Lettre inédite.

pas concrets, à cause de la pensée que je veux sans cesse latente ; mais leur lente succession donnera le sombre et sensuel éclat que je désire. Un peu comme chez Gide, la sensualité n'apparaîtra que dans le pli de certaines phrases, dans une façon qu'elles auront de s'enrouler sur elles-mêmes pour se dépasser, et dans une contraction intime. Je crois que tu trouveras un exemple de ce que je veux dire dans la *Métaphysique du Rêve*. (En passant t'ai-je dit que Rouché me l'avait renvoyée, sous prétexte que « trop spécial pour le grand public », et que je l'avais aussitôt fait présenter au *Mercure* par Frizeau [2] ? Sans réponse jusqu'ici.)

Le second point sur lequel nous nous accordons, c'est la question du choix. Je ne crois pas que c'est un Dieu qui choisit ; mais cela peut servir pour exprimer que c'est l'essentiel de nous-mêmes qui choisit et ne peut s'empêcher de choisir. Ménalque se restreint et se diminue de parti pris en ne voulant pas choisir ; il retranche en lui quelque chose, en ayant l'air de vouloir tout accueillir et par là s'augmenter. De quoi ce qu'il accepte, uniquement parce qu'il veut accepter, peut-il lui servir ? De quelle volupté cela lui peut-il être ? Il déforme sa spontanéité, qui ne peut être en son essence qu'élective et « préférante ».

D'ailleurs ceci est faux, parce que c'est justement la spontanéité de Ménalque qui le porte à tout recevoir. Seulement il ne faut pas que cela soit étendu à d'autres, que ce devienne une règle morale, un précepte.

Ceci est le centre de mon livre, qui sera achevé en 1911 ou 12, et sera beau.

---

2. L'*Introduction à une Métaphysique du Rêve*, ne sera pas non plus acceptée au *Mercure*, mais seulement un an plus tard, après retouches, par Gide pour la N.R.F.

J'aime beaucoup *Chant d'amour*. La continuité en est peut-être moins forte que celle de : *Raconte-nous ta vie, dit Ménalque*. Mais il y a des choses admirables surtout « le blessé ». J'ai copié le passage à Henri qui m'a répondu qu'il le trouvait « très beau ». Textuel.

Je voudrais que tu m'expliques plus clairement « la création du monde par le souvenir ». J'entrevois et cela me semble très intéressant. En revanche j'avoue que je vois mal l'ordre et le progrès des 4 titres que tu donnes à tes idées. Peut-être sont-ce simplement des groupes sans lien entre eux.

J'ai eu une grande envie de t'avoir avec moi en passant l'autre jour en bicyclette « à travers les bois mouillés » des environs de La Chapelle, dans la solitude infinie et romantique de Lauroy et de La Fontenille. Mes personnages évolueront par ici.

Henri est nommé élève-officier.

Guéris-toi, malgré la « ferveur » de ta fièvre.

Je te serre la main avec beaucoup d'amitié.

J. Rivière

Nietzsche : ce ne peut manquer de t'intéresser beaucoup, et aussi de t'agacer. N'en achète pas. Je te prêterai le *Gai Savoir*[3], l'un des plus beaux selon moi, et la *Généalogie de la morale*.

---

3. Le *Gai Savoir*, ouvrage philosophique en prose et en vers écrit entre 1881 et 1887 ; l'un des meilleurs livres de Nietzsche et l'un des plus significatifs.

22.

Fournier à Bichet

Dimanche, 6 septembre 1908

L'année passée, à cette époque, on chantait « Les donneurs de sérénades [1] ». C'était le même temps, attente de l'hiver, feuilles roussies, et bientôt les routes désertes, coupées d'ornières, barrées de brouillard. On chantait « leurs molles ombres bleues... leurs longues robes à queue... » : c'était dans le salon de La Chapelle ; et j'avais dans la bouche ce même goût de choses âcres et mortes. Comme on sent que tout est mort, que tout a ce goût-là. Comme tout est déjà passé : « La jeune dame est à Versailles, *de* ce moment [2] » et je ne savais que cela ; cela et à peine son nom. Et il y a déjà plusieurs années ; ce ne sont plus que de fades ombres mortes. Moi seul, je reste, éternel Clitandre, amoureux de ces mortes fanées, avec leur goût fade, dans la bouche, promeneur désolé dans les sentiers de feuilles pourries.

« A quoi bon ? » était sa parole. Elle disait cela d'un ton uniforme et immuable ; en appuyant un peu, précieusement

---

1. Poème de Verlaine, mis en musique par Claude Debussy.

2. C'était la réponse qui lui avait été donnée par le concierge du boulevard Saint-Germain lorsqu'il lui avait annoncé que la jeune fille du Cours-la-Reine était mariée.

sur chaque mot ; en élevant un peu la tête sur le *b* et en le détachant. Elle reprenait alors son visage immobile, avec sa bouche qui se tenait légèrement mordue et ses yeux qui regardaient loin, immobiles, immuables et bleus.

Il était un temps où en me redisant ce mot et en repensant à sa pose, je la revoyais encore tout entière.

Ce ne serait pas assez dire qu'« élégante ». Le mot pureté est celui qui lui convient toujours ; à sa toilette, à son grand manteau marron, comme à son corps que je n'ai jamais imaginé, comme à son visage !

Cependant cette toilette de dame, si belle et si française qu'elle fût, semblait encore trop lourde pour la sveltesse de son corps mince et grand, et pour sa taille invraisemblable.

Je n'ai jamais vu rien de si enfantin et de si grave à la fois. Quoique je l'aie vue sourire, une fois, il y avait dans ses yeux cette désolation convenable, insondable et bleu de la mer, sur les plages de la Côte d'Argent ou de la Méditerranée — d'où elle venait.

Elle était hautaine (et noble). Elle m'a d'abord marqué le même dédain qu'à ceux, sans doute, qui pensaient l'approcher. On ne l'approchait pas. C'était une demoiselle, sous une ombrelle blanche, qui ouvre la grille d'un château, par quelque lourd après-midi de campagne.

Certes, je n'ai jamais vu de femme aussi belle — ni même qui eût, de loin, cette grâce. C'était comme une âme visible, exprimée en un visage et vivant en une démarche. C'était une beauté que je ne puis pas dire. Cent phrases me viennent qui toutes conviennent, mais aucune ne satisfait. C'était en tout cas l'âme la plus féminine et la plus blanche que j'aie connue ; c'était une dame de village à la procession des Rogations ; c'était une hampe de lilas blanc ; c'était une soirée déserte d'été où l'on a découvert, en fouillant dans les tiroirs, une paire de minuscules souliers jaunis de mariée, avec de hauts talons comme on n'en porte plus.

Notre rencontre fut extraordinairement mystérieuse — « Ah ! disions-nous, nous nous connaissons — mieux que si nous savions qui nous sommes. » Et c'était étrangement vrai. « Nous sommes des enfants, nous avons fait une folie », disait-elle. Si grande était sa candeur et notre hauteur qu'on ne savait pas de quelle folie elle avait voulu parler : il n'y avait pas encore eu de prononcé un mot d'amour.

Cet amour, si étrangement né et avoué, fut d'une pureté si passionnée, qu'il en devint presque épouvantable à souffrir, comme je l'ai dit.

Quand je pense maintenant qu'il y eut des jours où j'étais prêt (*sic*) d'elle, où elle me parlait — j'ai beau tendre mon imagination : Il faudrait être fou pour le croire.

D'après ce que j'ai noté autrefois [3], donc, elle eut beaucoup de gestes et de paroles que je n'ai pas compris. Quand nous nous quittâmes (souliers noirs à nœuds de rubans très découverts ; chevilles si fines qu'on craignait toujours de les voir plier sous son corps) elle venait de me demander de ne pas l'accompagner plus loin. Appuyé au pilastre d'un pont [4], je la regardais partir. Pour la première fois depuis que je la connaissais, elle se détourna pour me regarder. Je fis quelques pas jusqu'au pilastre suivant, mourant du désir de la rejoindre. Alors, beaucoup plus loin, elle se tourna une seconde fois, complètement, immobile et regarda vers moi, avant de disparaître pour toujours. Était-ce pour, de loin, silencieusement, m'enjoindre l'ordre de ne pas aller plus avant ; était-ce pour que, encore une fois, face à face, je puisse la regarder — je ne l'ai jamais su.

Que tout cela serait amer si je n'avais la certitude qu'un jour, à force d'élans vers elle, je serai si haut que nous nous trouverons réunis, dans la grande salle « chez nous », à la fin d'une soirée où elle aura fait des visites. Et tandis que je la regarderai enlever son grand manteau et jeter ses gants sur la table et me regarder, nous entendrons dans les champbres du haut « les enfants » déballer la grande caisse des jouets [5].

3. Nous avons ici une indication qui authentifie les écrits de Fournier notés sur le moment même. Dans son petit carnet noir où il consignera en 1913 ses conversations de Rochefort avec la jeune femme retrouvée, il note cette phrase d'elle : « Qu'est-ce que vous écriviez dans le tramway ? Je vous voyais griffonner, griffonner... »

4. Le pont des Invalides.

5. Voir *Miracles*.

Je n'ai d'autre excuse à ces trois pages que de n'avoir pas eu le moins du monde, en commençant, l'intention de te les écrire.

Pourquoi te raconter cela, d'ailleurs. Nous ne sentons et n'imaginons certainement pas de la même façon. Il faut pour deviner ce qu'a été « Taille-Mince » ; pour s'imaginer « La Demoiselle » avoir été soi-même quelque enfant paysan [6] ; avoir attendu sans fin, les jeudis de juin, derrière la grille d'une cour, près des grandes barrières blanches qui ferment les allées, à la lisière des bois du Château.

Je pars ce soir. Je suis en tenue de campagne. Jusqu'au 19 écris-moi : 6e compagnie — 104e régiment d'infanterie — 7e division — 4e corps d'Armée — aux manœuvres du Centre.

Je ne pense pas du tout à ce départ. Hier, je n'ai pu avoir qu'une permission de la nuit. Je suis allé la rendre ce matin à 6 h 30 pour ressortir immédiatement. Dans la rue Dauphine, il n'y avait qu'un courant très léger de gens qui vont travailler le dimanche matin. Des quais, en arrivant vers la Concorde, on voyait, comme à travers la buée d'une vitre en hiver, les arbres des Champs-Élysées vaguement brumeux d'automne et de matin. Déjà, la plupart sont roux comme à Lakanal, quand les classes rentraient. « Ah ! m'écrit Chesneau, que nous étions heureux au milieu de notre misère ! » Mais moi je ne puis regretter ce temps. A peine si je me rappelle quelques épisodes : ainsi ces deux heures de récréation, un jeudi de pluie torrentielle, les dalles étaient toutes mouillées, le vent nous ramenait la pluie aux joues, j'étais accoudé à la balustrade. Tu es venu, tu as dit, moitié moqueur, moitié triste : « On rêve ! on rêve ! » et nous nous sommes promenés une heure sans dire un mot.

Tes lettres me font toujours grand plaisir. J'ai hâte de te

---

6. On saisit ici le malentendu qui subsistera jusqu'à la mort de Bichet. Celui-ci n'avait jamais osé avouer à ses amis qu'il était lui-même d'origine paysanne. (Voir René Bichet par Isabelle Rivière, Appendices p. 291.)

voir condenser ton livre. Jacques te parle-t-il du sien ? Le mien a marché un peu, ces temps derniers.

Récris-moi : tu as une façon délicieuse de corriger mes fautes d'accentuation. Secoue-moi quand je ne te réponds pas.

Jacques m'écrit ce matin. Presque rien. Il dit : « Il n'y aura pas eu d'été cette année, ma chère. » Il me copie un passage admirable, de toi : « Il y a une chanson qui n'est pas... [7] »

Poignée de main, petit !

H. Fournier

---

7. Lettre de Jacques Rivière du 29 août 1908 (JRAF II 234) où le passage est cité.

23.

Bichet à Rivière

(Carte de visite)

Monsieur Jacques Rivière,

Je ne suis pas venu hier parce que, n'ayant pas reçu ce que je te disais samedi, mais ayant de Henri une belle et émouvante lettre (que je ne te montrerai pas, mais dont je te parlerai), j'étais dégoûté, écœuré au-delà du possible. J'ai dû dîner chez des individus qui proclament également incompréhensibles la musique de *Tristan* et celle de *Salammbô* [1]. Et puis, l'après-midi, j'avais lu l'*Éternel mari* [2]. Tu vois où j'en étais. J'ai encore ce matin dans la bouche un profond goût d'horreur.

Viendrais-tu chez Isadora [3], dès samedi peut-être ?

R. B.

---

1. *Salammbô*, opéra d'Ernest Reyer sur un livret de Camille de Loch tiré du roman de Flaubert (1890).

2. Roman de Dostoïevski publié en 1871.

3. Isadora Duncan, danseuse célèbre qui devait révéler la danse à Jacques Rivière et à Henri. « Premier matin du monde, geste de la femme comme l'appel de la jeunesse », écrit ce dernier à André Lhote le 29-06-1909, ce qui nous permet de dater cette carte de visite de 1909.

Connais-tu le « Boy Singing » de Rembrandt[4] ? Et t'imagines-tu la note infiniment pure, douce et grave, qu'il doit chanter ? Une parole fragile et forte, pareille au duvet de l'or sur l'effigie des pièces neuves.

Viendra peut-être ce soir, somme toute.

---

4. « Boy Singing » de Rembrandt. Il n'existe pas de « Boy Singing » dans le catalogue des œuvres de Rembrandt, mais un « Boy reading » qui semble entrouvrir la bouche pour chanter. Il s'agit sans doute de ce dernier que la présentation erronée du tableau a pu faire prendre pour un enfant chantant. Il est conservé à Vienne au Kunsthistoriches Museum.

24.

Bichet à Rivière [1]

Pithiviers, 9 septembre 1908

Mon cher ami,

Quand tu recevras ceci, demain, il y aura juste 3 mois que je l'ai quittée — après une promenade au Luxembourg ; elle me disait qu'elle aime les midis violents à travers les feuilles, et qu'elle n'est jamais plus heureuse que d'être tout en blanc (le blanc, d'ordinaire un peu dur, prend, lorsqu'elle le porte une douceur, une fluidité inouïes) ; puis nous nous étions arrêtés devant un massif de tulipes où se mêlaient des héliotropes, ces fleurs lourdes et tièdes dont elle se parfume, violettes comme son chapeau d'hiver. Il y a des moments où j'imagine encore sa démarche, ce jour-là, entre les grenadiers fleuris — elle semblait s'appuyer sur la moiteur de l'air qu'elle déplace. Un peu avant, nous étions allés ensemble au concert de Louis-le-Grand, et longuement avant de rejoindre sa mère elle m'avait

---

1. Cette lettre à Rivière qui semble à première vue faire écho à celle d'Henri du 6 septembre a dû pourtant se croiser avec elle car aucune allusion ne semble transparaître. La coïncidence de ces deux admirables confidences croisées, si elle ne fut pas provoquée, n'en est que plus étonnante.

tenu la main, dans la froideur des couloirs. Un peu avant
encore, ce dimanche qu'il neigeait et que je suis arrivé rue
Dauphine mouillé, rougi par une balustrade de fer déteinte
sur moi, je l'avais rencontrée très loin, dans un musée, sans
nous être donné rendez-vous. Tout cela est bien incompré-
hensible. Je devrai de l'avoir connue à ma manie de dessiner
sur d'infimes feuilles fortuites. La reverrai-je en novembre ?
Je ne sais pourquoi — je te l'ai dit un soir et tu ne pouvais
comprendre —, j'ai eu en quittant Paris la sensation de l'irréparable, de la chose morte. Elle est très belle, certes, mais surtout douce, jusque dans les nuances effacées, couleur de cuir,
de ses toilettes préférées ; gamine aussi, dans sa façon de
répondre « Sûr » en baissant la tête pour affirmer.

— Et je ne m'excuse pas de te raconter cela, parce qu'il est
ridicule de s'excuser. Mais je me rappellerai ce collier de pierres (jaunes, vertes ou rouges suivant qu'on les regarde) qu'elle
avait le jeudi des manifestations, et que je tournais pendant
que tous ces sales normaliens hurlaient dans la cour de la Sorbonne. Ces choses finies ne me font cependant pas souffrir
— ou du moins il y a, pour en étouffer la douleur, une joie
singulière et un peu orgueilleuse, celle d'avoir « cela » à moi,
rien qu'à moi, et d'y découvrir grâce à « cela » des tas de beautés auparavant insoupçonnées.

Création du monde par le souvenir, j'ai regret d'avoir
employé ces mots ; j'ai d'ailleurs toujours regret, je sens que
les mots ne sont jamais dans le ton où je les mets, probablement parce que je prends les premiers venus et qu'ils doivent,
à cette vieille dépouille de rhétorique qu'on me fait traîner,
d'être solennels et naïfs. J'ai simplement voulu dire : si la
mémoire de l'homme, si ma mémoire n'existait pas, il y aurait
un monde qui *est*, non pas jamais un monde qui a *été* il y
aurait une suite de *présents* juxtaposés — à tout instant une
harmonie universelle, et non une mélodie. C'est moi qui confère à ce qui n'est plus l'existence d'avoir existé, et ainsi, fon-
dant avec l'harmonie actuelle les harmonies dont je me souviens parce qu'elles ont été par moi vécues, je crée la mélodie
— ce que Claudel appelle « le sens » ; ou plutôt, pour être un
peu moins schématique et intellectualiste : chaque moment

s'ajoute aux autres comme, dans une partition complète d'orchestre, chaque mesure totale (ce qui sur le livre est représenté en hauteur : violons — bois — cuivres, etc.) s'ajoute à l'ensemble qui la précède — et ne signifierait rien s'il n'y avait cet ensemble organisé, vivant, *en mouvement*.

J'ai honte de dire cela d'une façon si embrouillée, des vérités de La Palisse, à un philosophe de profession. C'est pour que tu ne te fasses pas de moi une trop haute idée.

J'ai pas mal écrit ces jours derniers, j'ai même envoyé à Henri quelque chose — que je ne t'envoie pas à toi pour ne pas faire après tout mon petit Sénèque, et puis parce que tu n'es pas un malheureux caporal en manœuvres [2]. Il a fait des soleils extraordinaires, que dans la journée je n'aime pas beaucoup : ils trichent, ils nous volent notre septembre mais des soirs si clairs et si calmes, avec des ciels comme « cardés par des pattes d'oie ». Je me suis heureusement guéri.

Je disais à Henri : il me manque beaucoup de ne pouvoir entendre du Debussy. Il y a, je trouve, des musiques qui vous pénètrent tout entiers, qui se fondent dans tout le corps comme un fruit — qui sont perpétuellement gonflées d'une profonde sève ; celle de Debussy, je la compare mieux à un ciel de plaine, pur, idéal, sous lequel l'émotion erre librement. Est-ce un peu ça ?

Je voudrais dire beaucoup d'autres choses, parce que c'est en se donnant qu'on reçoit ; mais au fond il est impossible de se donner, on ne peut jamais que se regarder sans bien se rendre compte de ce que l'on voit (Le miroir s'interroge et scrute le miroir — un des vers les plus admirables de Régnier). Je me trouve donc très idiot. Au revoir.

R.B.

— Dis-moi quand tu rentres à Paris, et, dès que tu le sauras, quelles sont les dates d'ouverture et de fermeture du Salon d'Automne ; celle de fermeture surtout m'importe. Tous mes souvenirs à tous.

---

2. Henri Fournier, qui est caporal depuis le 17 avril devait participer à des manœuvres d'armée du 9 au 18 septembre.

25.

Bichet à Rivière

Pithiviers, 18 septembre 1908

Mon cher ami,
Voudras-tu être assez gentil pour m'envoyer, quand tu pourras — ne fût-ce qu'à ta rentrée de Paris — *un Homme libre* [1] et la *Généalogie de la morale* [2] ? J'ai absolument besoin de lire cela avant l'incarcération à l'École. En outre, n'attends pas aussi longtemps pour m'écrire. Je viens en deux heures de pondre une page qui me satisfait à peu près, chose rare dans mes annales. Le Salon d'Automne, veine ! dure jusqu'au 1er novembre ; nous aurons le temps de le voir 2 fois.
Bien à toi.

R.B.

A Monsieur Jacques Rivière
La Chapelle d'Angillon (Cher)

---

1. *Un homme libre*, roman de Maurice Barrès paru en 1889. Il constitue la deuxième partie du cycle : « Le culte du moi. »
2. *Généalogie de la Morale*, ouvrage philosophique de Frédéric Nietzsche, paru en 1887, et destiné à renforcer la portée de *Au-delà du Bien et du Mal*, publié l'année précédente. Voir lettre 18.

26.

Bichet à Rivière

Pithiviers, 29 septembre 1908

Mon cher ami,

Il y a une grande force à être seul, mais aussi un grand danger : celui de prendre des taupinières pour des montagnes ; telles nombreuses choses qui au début de ces vacances me semblaient intéressantes ou même précieuses me feraient maintenant sourire ; celles que j'ai écrites me dégoûtent, pour des tas de raisons dont la principale est que écrites, elles sont simplement une macédoine de Gide et de Barrès, saupoudrées de quelques images claudéliennes ; et si j'étais encore abonné à *Vers et Prose*, si je lisais encore le numéro de ce trimestre, peut-être ne me donnerais-je pas le droit de m'en moquer — pas même de T. de Visan, ce qui n'est pas peu dire. Je ne déchirerai rien des feuillets que j'ai noircis, il est stupide de déchirer ; mais je ne continue pas. J'ai fait venir d'Angleterre — ça m'a du reste coûté une somme folle — le plus beau des Burne-Jones, « Amour dans les Ruines », et je passe mon temps à contempler ce visage de femme, ah ! si sensuel et si grave, si plein d'admirables souvenirs.

Il y a eu ici des journées de bruine, ces mauvaises petites pluies qu'on aperçoit à peine en regardant dans le noir des fenêtres ouvertes ; il y a d'infinis brouillards sur les labours ;

aujourd'hui, un soleil — comprends-tu si je dis tiède ? et que
ce n'est pas du tout chaud brutalement comme en été, mais
doré comme un raisin, mou et brûlé comme un regard de
femme ? — fait luire par terre les marrons tombés. L'autre
semaine, ainsi que je l'écrivais à Henri, j'ai revu ce village
d'orléanais où l'an dernier, caporal, j'étais allé avec d'Aren-
berg ; il y a une exquise église du XIᵉ, des dalmatiques bro-
dées en Italie, des antiphonaires aux grosses notes rouges ren-
fermés dans un bahut à salamandres ; il y a aussi une Vierge
toute carrée, taillée à coups de serpe ; le vicaire qui a mission
de commenter ces choses « somptueuses et tristes » vous parle
de ses cartes postales à dix sous la douzaine.

Ceux qui se donneront au culte du Souvenir, ce sera plus
austère qu'ils n'avaient pensé ; car ils ne connaîtront plus la
tristesse, les souvenirs de douleurs devenant des joies — et
certainement ce sera une volupté de moins, un charme très
séduisant auquel ils devront renoncer. J'ai écrit ça, ou quelque chose de pareil, à un de mes camarades de promotion qui
me disait s'ennuyer ; si je te le répète à toi, c'est pour te faire
connaître ce miracle, un normalien qui correspond avec moi
autrement que par cartes, et qui n'ignore pas la valeur de la
vie. C'est enfin une « âme » qui se révèle à moi, dans cette
horrible maison : car je ne compte pas Guinle, dont le
mutisme, pour n'être pas inattendu, n'est pas moins insolent.

Je viens d'achever *Jude l'obscur* — acheté non sans peine.
J'admire beaucoup, autant que *Tess* parce que c'est la même
grande idée renouvelée : preuve de génie. Il y a encore toute
une partie du roman mal venue, gauche, peu débrouillée ;
mais dès qu'on entre dans le vrai sujet, c'est splendide. Ce qui
dans le récit même est morcelé, en apparence décousu, rend
très bien l'existence tiraillée de ces deux êtres, et le malentendu éternel qui les fait souffrir ; c'est ni plus ni moins
émouvant que l'ampleur du second volume de *Tess* — qui
marche si terriblement, si fatalement vers la scène mystérieuse du « Temple païen » ; et puis, c'est plus complet
encore.

Pense aux deux bouquins que je t'ai demandés, pas ? Tout
au moins à Nietzsche ; l'*Homme libre* me serait bien utile,

mais non pas nécessaire. Je t'annonce dès maintenant ma visite pour le 20 ou le 21 octobre ; il *faudra* que nous allions ensemble au Salon d'Automne — auquel d'ailleurs nous aurons la grande joie annuellement renouvelée de voir un portrait de Polaire ; il faudra aussi que tu viennes contempler à l'École mon Burne-Jones, et un dessin de Bernard Naudin que mon frère me copie d'après un ancien numéro de l'*Assiette au Beurre*.

Évidemment, tu ne peux concevoir trois mois sans une note de Debussy ou de n'importe quel autre. Les types que je connais ici qui se servent passablement d'un violon ne savent rien en-dehors de la *Berceuse de Jocelyn*.

Excuse-moi pour ce que dit plus haut, de ne pas t'envoyer ce que j'ai écrit — bien que tu me le demandes en deux lignes supérieures et diagonales. Et puis, maintenant que tu vas voir Henri, prie-le donc de ne pas trop m'oublier ; ce que m'ont coûté d'anciens « hommes » du 171e me font craindre qu'il n'ait beaucoup souffert durant les maneuvres. L'autre après-midi qu'il pleuvait si fort, je me rappelais ce jour où sous la porte de la Sorbonne il lisait Akédysséril, et un peu plus tard, comme je l'avais accompagné, nous vîmes deux ouvriers sur un asphalte luisant se battre.

Bien à toi.

R.B.

27.

Fournier à Bichet

Laval [1], samedi soir, 5 décembre 1908

Mon cher petit Bichet,

Je t'envoie ce poème [2] en récompense de l'*Epi de blé* [3].

Je pensais d'abord l'envoyer rejoindre d'autres notes qui serviront à mon livre d'après le régiment. Puis j'ai préféré, en ayant le temps, l'arranger ainsi en un poème tout seul. Mais ce n'est qu'une façon de le mieux conserver jusqu'au moment où il sera fondu dans le reste du livre d'après le service militaire. Il ne subsistera pas sous cette forme.

Tu me le rendras dimanche prochain, je n'en ai pas d'autres exemplaire.

Je n'ai voulu l'envoyer ni à Rivière qui n'en a pas besoin, ni à ... au fait, ni à qui ?

Je te serre la main.

Henri Fournier

---

1. Laval, ville de garnison où Henri Fournier prépare l'examen des élèves officiers de réserve. Lettre inédite.

2. D'après la lettre suivante, il s'agit du *Dialogue aux approches de Noël*, premier essai écrit à Laval et resté inédit.

3. *Histoire de l'Épi,* publié dans la N.R.F. en 1909 dans le numéro de juin. Voir Appendice, p. 298.

28.

Fournier à Bichet

Laval, le samedi soir, 19 décembre 1908

Mon cher René,

A la même heure qu'il y a quinze jours.

Je suis encore, avec grand froid aux pieds, dans une petite salle reculée, tout seul, depuis une heure de l'après-midi.

Tu sais que je suis consigné, aujourd'hui. C'est ma première punition depuis 15 mois de régiment, et je n'ai même pas la consolation de l'avoir un brin méritée.

Ta lettre de ce matin, une heure avant le départ des permissionnaires, a été très bienvenue. Il n'y a plus guère que toi et Maman qui m'écriviez comme il faut écrire.

Moi je t'écris brièvement. Je sens que, si précieux que me soit à moi ce que je joins à ma lettre, tu regretteras que cela prenne tant de place. Pardonne-moi. Je suis si loin de tout, si incapable de parler. Le bref récit que m'a fait Jacques de la visite de Gide m'avait désolé toute une matinée, tant je me sentais loin de toute cette grâce [1].

Ne m'envie pas. Il me prend par instants une telle horreur

---

1. La visite de Gide est racontée par Rivière à Fournier (JRAF II 260) : « Tête superbe qui inquiète un peu d'abord et gêne », écrit-il.

de la vie militaire, que, à deux reprises, j'ai cherché des combinaisons pour faire accepter ma démission d'officier.

Même cet exquis paletot de marche, avec grand col de velours, que j'essayai dernièrement, ne me faisait pas hésiter.

Il m'arrive de rester trois semaines sans regarder mon visage dans un carreau.

Et toi, à la fois si heureux et si misérable, n'as-tu jamais eu ce désir de grande lassitude : Se voiler à jamais le visage, comme les Carmélites, je crois ; ce visage humain où se reflètent tout l'amour et toute la gloire. Renoncer pour toujours à tout amour et à toute gloire : Repos plus délicieux que le Paradis, plus terrible et plus irrévocable que l'Enfer, et tentation plus grande que toutes.

Moi aussi je me rappelle l'année dernière quand je me croyais émoussé depuis longtemps pour Pelléas, mes yeux se sont emplis de larmes à : « d'une voix qui vient du bout du monde ».

Ne crois pas, pour en revenir à cette question, que le physiquement terrible m'ait jamais tenté. Qui plus que moi croit au tragique d'âme, quotidien, infime. L'autre n'est que pour mettre en valeur celui-ci.

N'envoie rien à Gide. Patiente un peu, que nous le connaissions et cela ira tout seul. Travaille, compose et fais un livre [2]... Ecris-moi et envoie-moi de belles choses. Je te donnerai immédiatement mon impression.

Bien amicalement.

Henri

P.S. : Tu me renverras le *Dialogue* [3]. C'est le seul exemplaire.

---

2. Bichet écrira plusieurs textes auxquels il donnera le titre de *Livre* : *Le Livre d'Orphée, Le Livre de l'Amour, Le Livre de l'Église*. (Publiés dans la N.R.F. en 1910 et 1911.)

3. *Dialogue aux approches de Noël.* Voir lettre précédente, du 5 décembre.

29.

Bichet à Lhote

Pithiviers, rue des Pressoirs, (Loiret)
Lundi 28 décembre 1908

Mon cher Lhote,

Je vous envoie *Trésor des Anges* [1] et *Histoire de l'Épi*. Je suis chez moi en vacances depuis trois jours, mourant de froid et désolé parce qu'il est impossible de sortir aux champs. Je suis assez navré ; je voudrais faire certaines choses, et ne puis pas n'ayant pas de soleil. J'ai appris par Jacques que vous travaillez au contraire beaucoup, vous copiez des Gauguin, toujours ? Vous avez bien du bonheur.

Je vous ai dit, vous rappelez-vous, en face d'une des figures de « La Grappe » [2] qu'elle ressemblait à une statue de Strasbourg ; elle ressemble aussi à un buste de roi du XIIIᵉ que je trouve dans le livre de Lafenestre sur les Primitifs français. Cela prouve que vous êtes aussi un primitif, et je pense que vous le prenez pour un éloge colossal [3].

Je viens de relire le premier texte de la *Ville* [4], et décidé-

---

1. *Trésor des Anges*. Essai de Bichet, voir lettre 20.

2. *La Grappe*, l'un des premiers tableaux de Lhote qui avait beaucoup enthousiasmé les amis.

3. Lhote prônait alors ce qu'il appelait l'Art gothique ou l'Art barbare qu'il donnait en exemple aux peintres modernes.

4. *La Ville*, de Paul Claudel. La première version date de 1890 et la seconde de 1897.

ment je préfère l'autre. Vous devez être de mon avis. Il y a dans la première version trop de réalisme — réalisme extérieur bien entendu, souci de mise en scène, de gestes et de cris : le second acte est bâti comme une pièce d'Émile Fabre, avec d'inutiles grossièretés ; c'est, je trouve, tout à fait une œuvre de jeunesse : la pensée n'est pas assez vivante encore pour animer à elle seule tout un drame : là même où elle s'exprime le plus splendidement, elle se partage entre plusieurs interlocuteurs — elle se fragmente pour, on dirait, plus de mouvement, dans le texte de l'*Arbre* [5], tout cela est bien plus resserré, et malgré la beauté de l'acte III, surtout de la scène des Consacrés, la rédaction définitive est bien plus humaine. Pour moi, il y a croissance de véritable émotion et de profondeur depuis la première *Ville* jusqu'à Violaine en passant par la deuxième *Ville*. Vous voyez que tout ce que je dis là se rapporte à mes idées, à nos idées, sur le geste. J'exige absolument que vous me donniez votre opinion (jusqu'au dimanche 3 janvier, écrire à l'adresse qui est en tête de cette lettre ; après, à l'École).

J'envoie à Jacques un simple mot sur une brève carte ; je l'ai quitté l'autre soir, la veille ou l'avant-veille de sa visite chez Rouault [6]. Excusez-moi de ne pas vous dire la moitié de ce que je voudrais, je suis un peu pressé.

Très cordialement,

R.B.

5. *L'Arbre*, recueil des premières œuvres de Claudel qui réunit : *Tête d'Or*, *L'Échange*, *Le Repos du Septième jour*, *La Ville* et *La Jeune Fille Violaine*. Il fut publié en 1901.

6. Visite chez Rouault. En 1910, Rivière rédigera pour Rouault la préface au catalogue de son exposition chez Druet, mais il signera sous le pseudonyme de Jacques Favel pour ménager la part des idées propres à Rouault qui lui avait commandé ce travail et l'avait inspiré. Voir aussi la note de Rivière sur Rouault dans la N.R.F. 1er avril 1910.
Sur la visite dont il est question ici, voir JRAF II 264, (14.01.1909.) :
« Ma visite à Rouault a duré plus d'une heure dans la pénombre d'un vaste salon ciré, hanté d'immenses Moreau et de faïences admirables du disciple. Elle a été passionnante. Je te la raconterai et j'essaierai de te décrire cet homme féroce et extraordinaire, tout plein de grandes colères, et chrétien, et qu'on sent si terriblement fort. »
Voir aussi lettre à Lhote du 17.01.1909

30.

Bichet à Rivière

Pithiviers, rue des Pressoirs, 1er janvier 1909

Mon cher Rivière,

J'hésitais beaucoup à t'écrire, me trouvant tellement bas, dénué de chaleur et de vie ; en remuant de vieilles boîtes, j'ai trouvé des lettres d'Henri qui m'ont rendu la pensée et la souffrance — de très anciennes choses si exquises que douloureuses, des histoires d'une poignante puérilité. En somme que cette vie d'École m'aura gâté ! et puis, il y a ici de la neige, et un froid terrible ; je ne fais rien ; sensation de niaiseries qui gaspillent le temps ; je voudrais être comme Lhote, une volonté assez tenace pour m'abstraire de tous ces ennuis. Il y a aussi en moi des habitudes déplorables, qui datent de mes premières années de lycée, et par exemple lorsque je te dis que j'admire Boldini, c'est n'est pas absolument un mensonge ; c'est une sincérité inférieure ; ce sont des instincts de bariolage et de mauvaise musique qui parlent — ceux qui me poussent aux Folies-Dramatiques le soir du « Petit Faust » — ; cela vient, je crois, du milieu où je passais des dimanches quand j'étais interne à Orléans. Tu ne sauras jamais combien je me dégoûte. Je t'écris ces choses-là parce que nous n'avons ni l'un ni l'autre, à Paris, le temps de les dire et de les écouter. Ceci t'expliquera que ma lettre ne *peut* pas être longue ; t'expliquera aussi, pourquoi Guinle m'est insupportable, avec sa manie, sous prétexte de vie intense, de se disséminer dans précisément les enfantillages et les stupidités qui me font horreur.

Idéal : quitter Paris. Autre idéal : rester à Paris. Je me demande, une fois sorti de l'École, ce que je ferai. Une souffrance terrible, c'est de se dire qu'il y a trop de choses auxquelles on s'attache trop, — alors que justement la grande volupté et la seule vie, c'est de s'attacher. Cependant, sur cette neige maintenant jaunie, il y a eu, avant-hier, de si admirables scintillements de soleil, et vers quatre heures une couleur rose comme le ciel de ce tableau de Mausana, aux Indépendants !

Je ne te redirai pas ce que j'ai brièvement écrit à Lhote sur la première *Ville* [1], je persiste à préférer l'autre — parce qu'il y a moins de temps perdu. A la limite, quand *tout* le temps est perdu, on a, dans des spécialités diverses, E. Fabre, Hervieu, Donnay ou Capus ; ce n'est que dans le second texte que l'essentiel tient toute la place, et que disparaissent les concessions à ce vieux goût de la mise en scène.

Combien je regrette que Lhote ait quitté Paris ! Je viens de trouver, dans un livre sur l'Exposition des Primitifs, une miniature de J. Fouquet aussi belle qu'un Gauguin ; il aurait copié cela merveilleusement ; les trois filles assises dans la prairie et filant, avec des gestes d'une seule venue — et sainte Marguerite extasiée vers des chevaux, l'un blanc, l'autre noir, dont le poitrail surgit au-dessus d'un fossé bordé d'avoines folles. Malheureusement aussi, mon frère ne copie bien que les dessins au trait, et pas du tout le crayon ou la miniature. Il y a encore, dans ce même livre, la Vierge glorieuse du Maître de Moulins, avec les anges trois par trois autour du halo de pourpre et de jaune ; décidément, on devrait lapider tous les Renaissants, qui ont tué tout cela, tout l'amour de la couleur et du geste, et qui ont substitué à la composition des masses une superficielle correspondance de lignes creuses.

Une infirmité de mon esprit, c'est de dire toujours et

---

1. Voir lettre précédente.

d'écrire à côté de l'essentiel ; cela est vrai de tout ce que je fais. Je ne t'ai pas dit du tout ce que je voulais te dire. Adieu. J'ai lu ceci dans une lettre de L. de Lisle : « La monotonie m'abrutit, et je me reconnaîs un tel besoin de métamorphose que je me sentirais capable d'éprouver en un mois tout l'amour, toute la haine et toutes les espérances d'un homme qui y aurait consacré sa vie entière. »

Je t'apporterai lundi soir les *Bâtisseurs de Ponts* [2]. Je t'aime bien.

R.B.

---

2. *Les Bâtisseurs de Ponts*, de Rudyard Kipling.

31.

Bichet à Lhote

45, rue d'Ulm, lundi 25 janvier 1909

Mon cher Lhote,

Pour ne plus revenir sur deux questions graves [1] :

1) En fait de subtilités, vous avez à la fois tort et raison ; je veux dire que je ne pense pas du tout comme vous, mais que je vous comprends. L'angoisse des subtilités, je l'ai sentie jusqu'à la souffrance (littéralement) pendant les grandes vacances de l'été dernier, alors que seul dans ma campagne je me cherchais et me combattais ; c'est le danger — l'unique danger — de la solitude, et il est nécessaire de passer par là, et en tout cas ce n'est pas acheter trop cher beaucoup de plaisir et une grande force.

2) Je ne serai jamais de votre avis sur la *Ville*. Vous me parlez de sincérité, de cri sauvage, d'art barbare, c'est bien : mais si mes émotions à moi ne sont pas *barbares* [2] ? Si elles ne traduisent pas, ne peuvent pas *spontanément* se traduire par un cri ou un geste ? Vous admettrez, n'est-ce pas, que cela arrive,

---

1. Il manque une lettre à Lhote mentionnée par Lhote lui-même dans une lettre du 14.01 à Jacques Rivière.

2. Voir lettre de Jacques Rivière à André Lhote du 31 janvier où Rivière réfute vigoureusement les théories de Lhote sur « l'art barbare ». (Inédite.)

et que — pour restreindre ma pensée à une question de forme
très significative — les phrases les plus sincères ne sont pas
les plus désordonnées, ou même simplement les moins bien
construites. Il est évident que Claudel n'a pas besoin d'être
artiste (au sens courant, mauvais, si vous voulez, du mot) ;
vous non plus, mais moi ? si je le suis, pourquoi me refuser à
l'être, et me révolter ? Et puis, il y a autre chose que je veux
vous dire : absolument dégoûté des Normaliens passés et présents, fatigué un peu de courses diverses, je ne songe qu'au
repos. Repos dans toute l'acception du terme. Je ne l'ai jamais
mieux éprouvé que l'autre soir à la Schola, en entendant un
quatuor de Beethoven : c'était admirable, évidemment ; pourtant, il manquait je ne sais pas quoi à mon plaisir profond,
— il y avait une sorte de déception, que la perspective de la
rue Saint-Jacques en sortant n'était pas faite pour dissiper
— et je ne désire qu'une chose encore maintenant : lever les
mains dans un soleil couchant de Beauce, pour au moins sentir dans le creux des paumes une poussière, quelque chose de
palpable, de durable, de tranquillement voluptueux. Dire à
Ménalque (c'est une idée sur laquelle je me rencontre avec
Rivière) que le bonheur est fixe.

Vous voyez que je reviens toujours au même point, à mon
idée ; à vrai dire, toutes les subtilités demeurent superficiel-
les, et au bout de quelque temps elles tombent comme une
petite pellicule, ne laissant que l'essentiel — qui est toujours
le même. Justement, voilà pourquoi elles ne sont pas à craindre. Voilà aussi pourquoi la vie quotidienne est bien moins
absorbante en général qu'il ne paraît ; il n'est pas bien difficile de s'en abstraire, et à la réflexion on lui trouve même,
dans une certaine mesure, de l'utilité.

Je vous fais là toute ma métaphysique. Ce sont des choses
qu'ici je ne puis dire à personne — sauf peut-être un de mes
vrais amis, qui n'est pas Guinle. A propos de Guinle, que
dites-vous de ces vers de Vigny qu'il a retrouvés l'autre jour
dans le *Journal d'un Poète* [3], comme sujet de tableau [4] (il s'agit

3. Écrit posthume d'Alfred de Vigny publié par Louis Ratisbonne en
1867.
4. Dans une lettre à Fournier du 28 janvier, André Lhote, séduit par les

d'un exemplaire du « More de Venise » à madame Dorval et
par suite de Shakespeare) :

Rien ne trahit son cœur, hormis une beauté
Qui toujours passe en pleurs parmi d'autres figures
Comme un pâle rayon dans les forêts obscures,
Triste, simple et terrible, ainsi que vous passez,
Le dédain sur la bouche et vos grands yeux baissés.

Voici les événements de la semaine : il y a eu chez Druet, il
y a même encore, une exposition de Sérusier ; je sais que Jacques y est allé ; je n'ai pas pu, mais j'irai ces jours-ci, Rivière
m'ayant dit que c'était beaucoup moins nul que les toiles des
Indépendants de l'an dernier. Il vous en parlera d'ailleurs
dans une très prochaine lettre, et aussi de la visite qu'il doit
faire cet après-midi à Gide [5]. J'ai vu, toujours chez Druet, des
dessins ; la plupart nuls : Denis, Vallotton, Rouveyre, et quoi
encore ? Cependant, des Matisse d'une chair solide, épanouie
sans abandon — et surtout des Friesz : ah, encore, comme
l'année dernière, une grappe de travailleurs pendue sur la
toile, accrochée à un arrière-plan de mer et de grand bateau
gris plombé, — avec les épaules obliques et le geste courbe,
tourné, douloureux du paysan qui ne peut pas s'arracher au
sol où il peine (je pense à la façon toute différente dont Millet
rend cela, l'élargissement des pieds et des jambes). Aussi une
« Sieste » : deux femmes nues dans des hamacs, absolument
écrasées de chaleur, et dans le fond, auprès d'une lourde mer
bleue qui ne renvoie pas le soleil, une ville d'un jaune de
lumière. C'est la première fois que Friesz me paraît aussi
directement émouvant.

Je vous en veux un peu de ne m'avoir rien dit de vos travaux ; je n'en saurais rien si Jacques ne m'avait montré ce que
vous lui écrivez. Soyez sûr que lors de mon mariage je vous
commanderai ma table de travail.

récits de son ami, se propose pour devenir « l'illustrateur du groupe » et
souhaite pouvoir insérer des dessins de lui dans le livre qu'il écrit.

5. Voir lettre de Rivière du 31 janvier où il raconte en détail à Fournier
sa visite à Gide (JRAF II 265, 266).

J'oubliais de vous dire que la *Nouvelle Revue Française* paraît le 1er février ; d'après ce qu'aura dit Gide à Rivière aujourd'hui, je verrai si dans quelque temps je dois me risquer à lui envoyer des choses.

J'insiste beaucoup sur la nécessité d'une réponse de vous avant les Indépendants. En toute amitié.

R.B.

32.

Lhote à Bichet

Bordeaux le 26-1-1909

Mon cher Bichet [1],

Vous êtes cent fois plus raisonnable que moi qui ne suis
qu'un enfant turbulent. Votre lettre m'a donné le remords
d'avoir été trop brutal avec vous. Je vous prie de ne voir dans
ce que je vous ai écrit, moins une suite d'objections à votre
« métaphysique » qu'une partie des reproches et des admoni-
tions que je m'adresse chaque jour. Vous comprendrez mieux
quand je vous aurai dit que voici à peu près cinq années que
je rate tout ce que j'entreprends, pour n'avoir pu écarter de
mon esprit la préoccupation des subtilités. Tout ce que j'ai
fait jusqu'à présent n'est pas ce que ça aurait dû être et « la
Grappe » n'est pas moins ratée que le reste. Alors vous com-
prenez, je m'emplis de haine contre moi-même et tout ce qui
m'a conduit là ; je trépigne parce que je sens que le temps
passe, et mon inquiétude ne me lâche pas. J'en arrive à ne
plus pouvoir souffrir qu'on me parle d'art parce qu'on n'a
parlé d'art, de perfection de forme, etc., qu'aux époques de
décadence, quand on n'avait plus rien à dire, quand las

---

1. Nous avons ici, pour une fois, une réponse point par point à la lettre
de Bichet.

d'avoir exprimé, on recueillait les bruits retombés, les inspec-
tant minutieusement et qu'on imaginait de les mieux redire —
oubliant que des calculs précis avaient aidé à leur formation.
Calculs précis mais spontanés parce que celui qui est créé
pour parler, il n'a pas besoin de cultiver sa langue, sa parole
suffit — et quand l'âme qui parle est pure, le timbre est naturellement pur.

C'est parce que je sais la pureté de la vôtre que je ne voudrais pas que vous la revêtiez de trop de « pellicules » de sub-
tilité. Le nu sera toujours la chose la plus admirable.

Vous me parlez d'un sujet de tableau à propos de ces vers
fort beaux de Vigny. Vous ne vous doutez pas qu'ainsi vous
avez réveillé en moi mille préoccupations terribles que je ne
vous dis pas aujourd'hui parce qu'elles sont encore trop
imprécises. Mais quelle poésie concrète me faudra-t-il pour
m'aider — qui ne sera pas celle de Vigny.

Vous nous parlerez donc, n'est-ce pas, de cette poussière
palpable qui touche vos doigts, vous nous direz le durable, le
fixe, le concret et vous direz à Ménalque tout ce qu'il n'a pas
connu : les joies familiales et « traditionnelles ».

Si j'oublie de vous dire des choses que j'écris ailleurs [2], ne
m'en veuillez pas. Mes occupations ? Je sculpte, je dessine, je
peins, j'écris, je déchire, je pleure, je ris — et quand le soir
vient je me tords les mains parce que rien d'expressif ne
témoigne de mon effort.

Écrivez-moi souvent ; j'ai bien besoin d'aide spirituelle.

Je vous envoie mes grandes amitiés.

J'ai envoyé vos poèmes à ma fiancée souffrante.

                                                        André

Dites je vous prie les bons souvenirs à Guinle.

---

2. Il faut, pour compléter cette lettre, lire l'échange serré avec Rivière
qui se poursuit en même temps.

33.

Lhote à Bichet

Bordeaux le 4-2-1909

Mon cher Bichet,
Excusez-moi de ne pas répondre encore à vos deux lettres.
Et faites-moi l'amitié de croire que ce que j'écris à Rivière [1],
je vous l'eusse écrit aussi si de tyranniques occupations ne
m'en empêchaient ce soir — C'est comme si la lettre vous
était adressée à tous deux — Mais croyez bien que cela ne
m'empêche pas de penser à ce que je vous dois épis-
tolairement.

— Merci pour les Indépendants — Je leur ai écrit et pense
recevoir les statuts 1909 bientôt.
— Songez au travail que j'ai ce soir, je tombe de fatigue,
croyez-moi.
— Si quelque chose vous surprend dans ma lettre à Rivière
dites-le-moi.

Je vous écrirai plus longuement bientôt.
Je vous envoie mes bien sincères amitiés.

André Lhote

---

1. Voir lettre à Rivière du même jour 4 février 1909.

Je reçois à l'instant la notice des Indépendants — Les
œuvres seront déposées le *jeudi 18* et vendredi 19 mars, de
9 heures à midi et de 2 heures à 5 heures, Terrasse de l'Oran-
gerie aux Tuileries.

— Concertez-vous avec Jacques pour savoir si l'un de vous
pourra se charger de la corvée.

Il vous faudra prendre un fiacre pour lequel je vous enverrai le nécessaire.

34.

Bichet à Lhote

Mercredi 17 février 1909

Mon cher Lhote,

Je viens d'être, sinon très souffrant, du moins très ennuyé : des névralgies précédées d'une sale petite fièvre et suivies d'une fluxion m'ont complètement anéanti pendant plusieurs jours, ne me laissant que la sensation de mon visage brûlant et des tempes prêtes à se rompre : de là mon silence. Je me rappelle avec honte la date de votre dernière lettre — lue par moi sur une impériale un dimanche ; il a dû se passer des choses depuis lors — je tâche de vous dire ce qui peut vous intéresser. Mais d'abord, je vous le demande, pourquoi cette peur d'avoir été brutal ? mais vous ressemblez à un communiant qui veut à toute force se découvrir des péchés ! Vous me faites souvenir de mes dernières vacances, quand la solitude des champs exaspérait toutes mes subtilités et me forçait de réfléchir interminablement sur des riens (?) ; vous qui ne voulez pas être subtil !

Jacques vous a dit depuis longtemps, n'est-ce pas, que Gide avait accepté mes envois pour un numéro ultérieur ; je lui avais fait remettre *L'Épi* et deux choses plus courtes que je ne crois pas vous avoir montrées, *Attente* et *Fête* : non pas ce dont je suis le moins mécontent, mais ce qui m'a paru le plus

convenable pour un début. Avez-vous lu *La Revue Fran-*
çaise [1] ? Je ne pense pas y être déplacé ; vous savez, entre
nous, j'ai horreur de Michel Arnauld, Croué et quelques
autres — et particulièrement de celui (je ne me rappelle plus
le nom) qui met son originalité dans la disposition des blancs
entre ses phrases. C'est effroyable combien tout ça paraît chiqué ! Mes produits, à moi, feront-ils aux rares lecteurs la
même impression — je ne me pose guère la question parce
qu'elle m'indiffère, mais s'il fallait répondre, je crois bien que
ce serait oui.

Cette courte maladie m'a rendu la force, que j'avais perdue
un peu dans la vie normalienne, de mépriser ; systématique-
ment, brutalement — puérilement si vous voulez — mais il le
faut ; mépriser les hommes qui se dispersent et la peinture
anecdotique parce qu'on sent contre ses côtes l'explosion de
son cœur et dans sa face la poussée du sang qui voudrait jaillir
hors des lignes — quelque chose qui dure, qui vit par-dessous
toutes les misères, qui s'échauffe au moment même où la des-
truction le menace, et qui est à l'abri de n'importe quoi. Il n'y
a pas d'art pour rendre cette émotion-là ; la peinture peut et
doit s'y essayer — il y avait déjà un peu de ce que je viens de
dire dans certaines figures de votre Grappe (n'en parlons plus
comme d'une œuvre ratée, n'est-ce pas ?), et je suis sûr que
vous ferez énormément mieux : j'attends vos Baigneuses ; je
compte là-dessus ; je rêve à un peintre qui saurait rendre, ce
qu'on n'a encore jamais fait, l'insertion des visages dans l'air
— cette douceur repliée de l'air à l'endroit où s'appuie la
forme du corps, comparable à un gonflement de velours. J'y
ai pensé surtout l'autre soir chez Druet, où Rivière et moi
avons vu les plus beaux Friesz de notre existence (j'hésite à
vous raconter ça, ne sachant pas ce que Jacques vous a dit ou
non [2]), des Friesz d'une somptuosité d'automne si émouvante, avec un ciel très bleu, juste effiloché, entre les dernières branches rousses, d'un peu de blanc ; ou bien ce quai sale

---

1. *La Nouvelle Revue Française*. C'est en février 1909 qu'elle commence
à paraître régulièrement.

2. Jacques n'en parlera en fait à Lhote que par allusion.

et pluvieux devant une mer de plomb — ou bien une profonde plaine dorée sous les grands arbres qui bordent au premier plan un canal. Vu aussi un Girieud — très curieux — ancien déjà ; une sorte d'Apocalypse où l'on ne comprend rien ; des coins d'une violence calme et barbare, d'autres très doux, mais l'ensemble extrêmement déconcertant, et peint en frottis comme de l'Henri Martin. Chez Bernheim, des Bonnard, paquets d'ouate ; chez Kahnweiler un admirable Van Dongen que je ne connaissais pas, et toujours surtout ce Girieud incomparable — « Abandon de l'Été » ou « Vendanges de Noé » — presque (Jacques dit tout à fait) plus beau que la grande toile des Indépendants. Malgré tout, je préfère encore ces femmes blanches, où il n'y a rien que la pure forme du corps enclose dans ses lignes, aux rousseurs, si délicates soient-elles, du tableau de chez Kahnweiler.

J'ai encore bien peu d'idées, je suis loin de l'état de grâce. Cependant, hier j'ai vu danser Isadora Duncan (à la Gaîté), et j'ai deviné ce que pouvait être Nausicaa jouant à la balle sur le rivage ; j'ai eu deux ou trois réelles émotions — malgré l'enthousiasme aveugle de la salle. Je viens de lire les petits traités de Gide (le *Narcisse*, la *Tentative amoureuse*, etc.) et de relire *Partage de Midi* devant qui, voyez-vous, il faut en fin de compte s'incliner exclusivement.

J'ai l'impression que j'oublie des tas de choses que je voulais vous dire. C'est toujours la même histoire : je commence, je ne finis pas ; tout ce que je fais se termine en queue de poisson ; j'ai essayé d'écrire, de noter au moins des projets — inutilement : il faut que je sois chez moi. Je vous envie parce que vous êtes volontaire et que vous travaillez plusieurs heures de suite ; j'envie aussi Rivière, pour la même raison, et parce que, tout en préparant l'agrégation, il sait écrire pour Gide un compte rendu sur Suarès.

Je vous envoie *L'Attente* et *Fête* [3]. Je compte sur une réponse courageuse et longue. Vous savez quelle est mon amitié pour vous.

R.B.

---

3. Nous ne possédons que *L'Attente*. Voir *Fête* en appendice p. 297.

Guinle, malade, désemparé, vide, vous prie de l'excuser beaucoup et vous assure qu'à la première lueur de santé il vous écrira.

L'Attente

Ce jour-là, ceux qui étaient sortis de la ville pour flâner aperçurent la lisière des bois un peu avant midi ; ils la franchirent et de l'autre côté s'arrêtèrent, couchés entre les ronces.

Ceux qui, las de travail, rôdaient parmi les jardins en mâchant des feuilles contre le mauvais sort, arrivèrent dans ce quartier fleuri qui touche presque à la forêt, et les derniers amandiers baignent dans la moiteur du dessous des chênes. C'était un peu avant midi.

Un peu avant midi, ceux qui parlaient d'amour virent l'ombre danser plus drue sur leurs mains jointes, et à la fraîcheur qui sur leurs épaules se posa comme une colombe ils reconnurent les bois.

Et ceux qui lisaient en marchant interrompaient le vieux conte, et ceux qui bêchaient dans la plaine s'étaient dressés d'un coup de reins, la main à plat au-dessus des yeux.

Et quand tous se trouvèrent réunis, de ce côté du bois qui est en plein soleil comme un moissonneur assis devant sa porte, il y eut un silence, une aspiration profonde durant quelques instants — et les fleurs ensemble tournèrent la tête comme dans une église les fidèles vers l'ostensoir — et ils s'aperçurent que Midi était sonné.

R.B.

35.

Bichet à Lhote

Jeudi 25 février, 9 heures du matin

Mon cher Lhote,

Un mot seulement ; je suis allé hier chez Druet, pour la date d'envoi aux Indépendants ; M. Druet, très peu aimable, m'a répondu : « Adressez-vous au *secrétaire du Salon, 7, rue de Cîteaux, XIIe arrondissement* ; c'est lui qui vous donnera tous renseignements désirables. »

Voulez-vous que je passe moi-même rue de Cîteaux ? Je ne puis le faire ni aujourd'hui ni demain, voilà pourquoi je vous griffonne ces lignes — pour ne pas vous faire attendre davantage.

Je crois que dans ma dernière lettre je vous ai raconté pas mal d'insanités.

Très amicalement.

R.B.

36.

Bichet à Lhote

Samedi 27 février 1909

Mon cher Lhote,

Décidément, il m'est bien impossible d'aller avant plusieurs jours rue de Cîteaux ; nous sommes bloqués par la neige ; et puis, c'est tout un voyage ; je suis horriblement confus, parce que je suppose que la date extrême d'envoi doit être toute proche, et parce que je vous avais presque promis de faire moi-même cette démarche. Vous me pardonnerez, n'est-ce pas ? Jacques n'a pas le moindre loisir pour y aller de son côté, ce qui fait que réellement vous allez être obligé d'écrire.

Maintenant, laissez-moi vous annoncer la composition du numéro d'avril de la *Revue Française* [1].

Paul Claudel, *Hymne,*

A. Gide, *la Porte étroite,* suite ;

J. Rivière, *Sur André Suarès ;*

R. Bichet, *Poèmes en prose.*

Pour un début, n'est-ce pas que ce n'est pas mal ? Gide est venu hier chez Jacques, précipitamment, pour prendre son

---

1. Toujours cette abréviation qui ne doit pas tromper. Il s'agit bien de la N.R.F. En fait, les poèmes de Bichet, ne paraîtront qu'au mois de juin.

article sur Suarès ; il lui a demandé mon adresse et dit que
Schlumberger et lui avaient également admiré mes petites histoires : il part — malheureusement car l'heure était venue de
lui être présenté — pour l'Italie dans quelques jours, et je
crois qu'il ne rentrera à Paris qu'en juin.

Définitivement, qu'apporterez-vous au Salon ? « Les Baigneuses » ? J'ai une hâte terrible de voir ça, et de vous voir
aussi. Vous savez que de plus en plus je crois à la continuité,
au déroulement harmonieux — pareil à la douceur des lèvres
qui parlent ; il y a des instants où lorsqu'on me parle je
m'éblouis de ce mouvement des lèvres, jusqu'à, bien entendu,
ne plus comprendre les mots ; certains parfums aussi me don-
nent la même sensation, par exemple la bergamote ; et les
plus grandes, les plus soudaines émotions elles-mêmes ne
m'apparaissent plus maintenant comme des sauts, des bonds
de la vie hors de la vie — mais plutôt comme une fleur dont
on ne verrait pas les racines, dans laquelle pourtant on sentirait l'odeur de la terre où elle baigne.

J'ai entendu l'autre jour à l'Opéra-Comique *Orphée* [2] : il y a
deux actes admirables, de la musique immortelle, aussi émouvante, vous m'entendez, que *Pelléas*. Pourquoi faut-il ces
ignobles décors, tout juste bons à mettre en cartes postales ?
J'ai compris la beauté du mythe lorsque Orphée, ayant
retrouvé Eurydice dans la prairie des ombres heureuses (combien peu désirable, hélas ! cette prairie d'Opéra-Comique !),
l'entraîne vers la terre, doucement, sans la regarder, la main
tendue en arrière pour prendre sa main. Si j'étais très fort,
j'écrirais un Orphée : mais après la descente aux Enfers, ce
serait Orphée lui-même qui dirait le retour, et la mort d'Eurydice ; et cette mort elle-même, si terrible, elle ne l'attristerait
plus que gravement, délicieusement — elle lui donnerait exactement la même émotion que ses plus ineffables bonheurs,
ainsi le premier jour où il avait rencontré Eurydice, appuyée
contre un arbre comme cette femme de « l'Etang » de Corot.

———————

2. *Orphée*, de Glück. Bichet écrira un *Livre d'Orphée* qui sera publié en
mars 1910.

Voilà ce que je voulais dire — ou plutôt ce que je vous aurai dit — aujourd'hui. Écrivez-moi, please.
Amitiés toujours.

R.B.

37.

Bichet à Lhote

Vendredi soir

Mon cher Lhote,

Deux mots seulement, en toute hâte — et en toute joie,
Soyez tranquille, c'est fait, vous aurez une cimaise, vous serez
bien placé. Et puis n'ayez peur de rien : votre paysage est
beau — vous m'entendez — très beau, solide et délicat, un ciel
exquisement neigeux, et quel puits d'ombre sale, moite, dége-
lée, avec ces fenêtres d'un vieux rouge ! Je dis cela au galop,
pour vous creuser d'émotion et vous accabler de sécurité.
Votre « Jardin d'Amour », mais, monsieur, c'est admirable !
Écoutez, au premier abord, et pour n'avoir vu que la femme
du bas, j'ai pensé à Girieud ; mais non, ce n'est pas ça du
tout ; c'est aussi pur, mais plus délicieux ; c'est plus émouvant parce que chez Girieud il n'y a bien souvent que la tête
qui soit émouvante, tandis que chez vous c'est tout le corps,
tout le geste humain ; je vous dis que personne n'a une
pareille science du geste — ce n'est même pas science qu'il
faudrait dire, seulement je cours au plus pressé et prends le
premier mot venu, vous me comprendrez. Savez-vous à quoi
les gens vaguement prévenus penseront devant votre toile ? A
Rouault pour le personnage de droite, l'homme qui offre je ne
sais plus quoi à cette ingénuité tranquille (et presque doulou-

reuse, tellement une telle tranquillité dans une telle jeunesse est surhumaine) ; aussi à Gauguin, à cause du fond, des rouges et verts qui n'ont pas de raison d'être anecdotique, mais seulement poétique, ou picturale, ou, ce qui revient au même, décorative. Mais ce n'est rien, naturellement, que ces petits rapprochements de cuistre ; tout là-dedans est bien à vous. Vous avez un terrible courage à oser des choses pareilles, là-bas, dans votre province, tout perdu, ou presque ; je m'imagine que ces toits neigeux, vous les voyez par les fenêtres de votre atelier ; vous êtes un héros.

Henri et moi avons pris les cartes, de vernissage et autres. Vous aviez bien, terrible homme, acquitté les droits d'exposition, mais vous aviez oublié votre cotisation de sociétaire, depuis août 1908 ; ce sont 15 francs que Henri a payés. Nous avons eu un succès formidable en emportant vos deux toiles, Rivière, Henri, Guinle et moi, selon les quais et les ponts.

Quand venez-vous ? Vous savez que je pars en vacances le 3 avril : j'espère bien vous voir d'ici là.

Des foules d'autres choses à dire ; ai pas le temps ; je suis honteux de ce griffonnage raturé, qui vous parviendra Dieu sait quand, avec ces horreurs d'histoires qui arrivent.

En toute amitié, n'est-ce pas ?

R.B.

38.

André Lhote à René Bichet

Bordeaux, dimanche 28-03-1909

Mon cher Bichet,

Je suis très en retard dans ma correspondance avec vous. J'ai devant moi trois lettres auxquelles je n'ai pas répondu ou à peine, et vos poèmes dont je ne vous ai encore rien dit. Mais j'ai une telle peur égoïste que ce soit mon silence qui motive cet arrêt dans vos lettres à tous, que je vais encore me hâter pour vous forcer à me donner au plus vite des nouvelles de cette grande cérémonie du vernissage.

Je viens de relire vos poèmes (et des images ont passé en ma tête) je n'ai pu me décider à choisir — J'aime également *l'Histoire de l'Épi*, *Fête* et *L'Attente* — Peut-être est-ce ce dernier cependant qui m'a le plus touché ; je ne saurais dire pourquoi, le style n'en étant pas plus pur encore que dans les autres. Peut-être est-ce parce qu'il semble contenir davantage que les autres sa propre légitimation. Je veux dire par là que tous les détails semblent nécessités par une action commune, que l'on pouvait prévoir dès le commencement — et par action j'entends bien quelque chose qui est à l'anecdote ce que l'attitude est à la gesticulation ; ou encore l'équivalent de ce qui dans le tableau composé constitue le rythme, le mouvement essentiel auquel tout se relie *nécessairement* : le Motif.

Peut-être m'exprimé-je trop en artiste réaliste ? je n'ose pas
peindre des choses que je n'ai point vues — ou plutôt je n'ose
pas partir de choses non vues ; car une fois parti, je ne me fais
pas faute de transformer, de transposer à ma fantaisie. Et si
j'entreprenais une chose sans support initial réel, il me faudrait par la suite l'appui continu du détail réaliste.

Vous voyez, mon cher Bichet, que comme à mon habitude,
je ramène toujours tout à ma façon de penser. Pour me punir,
faites-moi donc, dans votre prochaine lettre, l'exposé pas-
sionné de vos convictions et de vos recherches.

Je reviens sur ma pensée de tout à l'heure : je désirerai que
dans une symphonie ou un poème, il y ait un noyau que je
pourrai *sculpter*.

Puisque je parle de moi, j'ai tellement besoin de la matière
pour exprimer l'esprit, que j'aurais peur en ne m'appuyant
continuellement sur elle de m'agiter dans le nul. Songez en
regardant les *Visages*, qu'il n'y a pas un pli, pas une déforma-
tion qui n'ait été tracée par un désir profond, modelé comme
par une main. Ça vaut bien la peine qu'on y regarde à deux
fois avant de les effacer du souvenir — à moins que ce ne
soient les groupements mêmes des êtres qui nous préoccu-
pent ; et alors c'est très bien, et chaque être devient alors un
pli, un modelé d'une figure plus terriblement réelle et
profonde.

Mon cher Bichet, assenez-moi, je vous prie, quelques
arguments contre ceci. Je vous dis comme Rivière me le
disait dans une lettre, que ce sont ces passionnantes hostili-
tés qui consolideront notre amitié.

                                                    André

39.

Bichet à Rivière

Pithiviers, 12 avril 1909

Mon cher ami,

Je n'ai pas voulu t'écrire de toute cette semaine dernière ; et maintenant encore, je ne le devrais pas, et si je le fais c'est pour que tu ne m'interprètes pas en mal. J'ai travaillé, je veux dire que j'ai préparé le diplôme d'études, traduit du Tacite et recopié ce qui est écrit de mon mémoire ; je m'étais fixé ce programme, je n'avais de cesse qu'il ne fût rempli, et j'ai sacrifié même le soleil de ces jours passés à la fatigue du dos qu'on sent après avoir copié beaucoup. Les deux pages que m'avait griffonnées Lhote, à moi renvoyées par Henri, m'ont tellement désemparé — rappelé à des tas de choses que j'oubliais —, que je lui ai répondu tout de suite, au hasard. Je me voyais accablé par des subtilités innombrables, pas du tout à la hauteur de ce qu'il me disait. En écrivant à Fournier, c'était pareil. Chose inouïe, dans les deux cas je me suis retrouvé sur pied, débarrassé de mes enfantines préoccupations comme d'une vieille peau, et presque disposé à rire — en transcrivant des strophes de l'*Hymne* de Claudel [1] ; pour-

1. *Hymne du Saint-Sacrement* de Paul Claudel paru dans le n° 3 de la *N.R.F.* (avril 1909, pp. 241-155).

tant, ce n'est pas une conversion ! Relisant, après, le dernier
acte de *Tête d'Or*, j'ai eu un moment d'embarras — idiot naturellement car c'était l'inconscient et primitif besoin de choisir, et c'est là peut-être l'unique affaire où le choix soit ridicule. Je suis revenu à l'*Hymne*. Il m'a paru plus beau hier
soir, en expliquant à ma petite cousine des Images d'Histoire
Sainte.

Je me répète souvent qu'il est « trop simple de n'être que
malheureux ». Tantôt je le trouve vrai, d'autres fois non. (Je
ne te parle pas du reste de l'article [2], parce que c'est comme
les pages sur Claudel, il n'y a rien à dire — rien qu'à relire
Suarès pour se confirmer ce que tu dis, et ce que tu dis pour
s'enfoncer plus encore dans Suarès.) Je me souviens des idéo-
logies que j'avais tissées pendant les dernières vacances, et de
ce que je t'ai raconté un soir à l'Opéra ; il faudrait un courage
des cinq cents diables pour jeter au feu ce que j'ai écrit là-
dessus, et recommencer. J'attends le mois d'août, et d'avoir lu
Dostoïevski (ce que je ferai en juillet) et d'avoir relu Nietzsche. Mais dès maintenant je pense à ce que je devrais faire : et
répondre au « Je suis toute la mort » de Suarès par un « Je
suis toute la vie » qui au fond est plus désolé, plus desséchant,
d'une ardeur à déchirer la gorge —, une sensation comme
celle de la poussière dans les plis des mains, ou comme
lorsqu'on se promène parmi des herbes brûlées (non pas brûlantes, comprends-tu, mais depuis longtemps brûlées, et
chaudes désespérément dans l'intérieur). Une ivresse plus
âpre que celle de la « Nuit d'Amour », où seule vivrait la joie
de l'air autour des gestes, bien que parfois cette joie même
disparaisse en une sorte de brûlure, de peur de s'user : songe
à l'angoisse qu'on éprouve devant des courroies qui tournent
sur des volants, et l'attirance de la chaleur que ça doit faire —,
en s'usant, en s'acharnant à s'user.

---

2. Article de Jacques Rivière sur *Bouclier du Zodiaque*, de Suarès
(ouvrage paru en 1907), qui se trouve également dans le n° d'avril de la
N.R.F. et se termine par cette phrase : « J'ai besoin de garder sans cesse
présente en moi cette pensée, qu'il est trop simple de n'être que malheureux. » (*N.R.F.*, n° 3, pp. 260-264.)

Et puis, il y a aussi la douleur des choses qui n'arrivent pas et qui devraient arriver, le sentiment des manques. Mais cela est autre chose ; je ne te veux dire que ce que j'ai écrit à Lhote : les femmes qui ne trouvent pas l'amour, j'ai pour elles une pitié qui est déjà presque l'amour, et j'en ai souffert. Je peux dire que j'en ai souffert.

Mais je parle si vite que je dois exagérer ces minuties et te les assener comme des pavés. Je compte beaucoup sur toi — comme sur tous ceux à qui j'écris *sympathiquement* — pour faire les corrections nécessaires. Ici je suis un peu trop seul, dans un pays un peu trop nu : les moindres pensées dans la solitude, comme le moindre relief sur la plaine, s'offrent des proportions de montagnes. A Paris, naturellement, je ne suis pas assez seul au contraire. De là des monceaux d'impossibilités.

Oh, je pense tout d'un coup que tu devais être l'autre soir chez Sechiari, et que tu as dû assister à ce chahut invraisemblable dont quelques bribes me sont arrivées par *Comœdia*. Je pense, par ricochets, que les Romains ont sifflé *Pelléas* ; je pense que Willy raconte aujourd'hui la première audition des *Chansons* de Charles d'Orléans [3] et regrette après un long silence ce ridiculus Mus. Jamais je n'ai eu un aussi furieux désir d'être à Paris, et jamais ce brusque départ de l'autre semaine ne m'a tant désemparé.

Ami.

Tu n'ignores pas que je suis en vacances jusqu'au 18. Me répondras-tu, si brièvement que ce soit ?

R.B.

---

3. Mises en musique par Claude Debussy.

40.

Bichet à Lhote

Pithiviers, Loiret, rue des Pressoirs.
Mardi 6 heures soir (avril 1909)

Mon cher Lhote,

Je reçois votre lettre chez moi, où je suis depuis une dizaine de jours, au soir tombant, alors que le soleil emplit toute ma rue. Dieu, quel désir de vous répondre tout de suite, au hasard presque, sans rien concerter ! vos deux pages, à moi renvoyées par Henri avec une simple carte qui porte ces mots : « Sous-lieutenant de réserve, Mirande, Gers » — vous dire combien j'ai été ému, c'est impossible. Pour mille raisons confuses. Parce que ça vient de loin, et que brusquement ce nom, Mirande, m'a paru délicieux comme un nom de femme, et un peu paysan. Parce que vous me dites avec hostilité des choses qui ont toujours été ma conviction profonde. Et surtout parce que vous me parlez des visages : mais vous ne pouvez pas savoir l'émotion que me fait un visage — son insertion dans l'air, les yeux qui se ferment, le pli des narines à la bouche ; je ne sais pas comme vous raisonner (mot déplorable, c'est le premier venu, voilà pourquoi je le garde) sur les poèmes et leur composition ; ce que je voudrais, ce sont des mots

---

1. Voir lettre précédente à Rivière.

et des phrases d'une douceur si ardente, qu'on y sentirait ce
repliement de l'air autour des gestes, comme deux étoffes
jointes, et qu'après les avoir lus on n'oserait plus sortir de
peur de passer à côté d'une attitude sans la voir et sans en être
bouleversé.

Le Délice de la peinture mis à part, c'est ce qui m'a tellement enchanté dans votre « Jardin d'Amour » : il y a quelque
chose de vivant tout autour des personnages, la même chose
qui vit en eux et dans les arbres et les oiseaux. Je dis cela très
lourdement, très littérairement, mais pour moi c'est une sensation réelle, comprenez-vous bien ? Comme je sens réellement, à la fourche de deux branches, le soleil plus chaud et les
parfums plus lourds, ou comme sur un drapeau immobile je
sens le poids des regards de toute l'armée. Et puisque vous
parlez de *L'Attente* — je ne dirai pas que j'ai voulu y mettre
un peu ça, car je ne veux jamais rien mettre — mais en le relisant j'aime à croire que ça s'y trouve tant bien que mal. De
cette façon c'est nécessairement composé — c'est relié par le
dedans, plus encore par le dedans que ne le dit par exemple
Claudel lorsqu'il affirme que la feuille est jaune pour fournir
à sa rouge voisine « l'accord saintement nécessaire... ». Telle
est la véritable action : une communion des personnages dans
leur identité avec tout ce qui les entoure ; une sensation
d'abord confuse, par exemple, lorsque ceux qui rôdent dans
les quartiers fleuris et ceux qui lisent en marchant arrivent
dans l'approche du bois, et que ceux qui travaillent dans la
plaine, sans rien voir, se dressent cependant comme pour
regarder — jusqu'au moment où la sensation devient claire et
se formule par le langage, et alors il n'y a plus rien à dire ou à
faire, qu'à s'en aller : « que ce discours, dit Claudel, débou-
che dans l'oreille de Signe l'abîme ! » Mais j'insiste sur ce
mot, *sentir* : sans quoi, tout ce que je vous dis là ne serait
qu'un absurde et puéril panthéisme, et j'ai l'horreur des phi-
losophies (il n'y en a qu'une que je puisse supporter, celle de
Pascal).

Besoin de la matière pour exprimer l'esprit : oui, vous avez
raison : à moi aussi il la faut. C'est à la fois, ne trouvez-vous
pas, une joie ineffable et un grand tourment : pour moi du

moins par ces temps-ci c'est un tourment, à cause que, désemparé, encombré d'ailleurs par le travail scolaire, je n'ai pas la force d'assimiler la matière et d'en faire de l'esprit, et je me laisse vaincre par elle. J'ai été très ennuyé, je le suis encore, par des subtilités qui ne sont probablement qu'insignifiantes ; je n'ai rien fait qui vaille ; mais je crois qu'aux grandes vacances, cet été, je pourrai travailler ; je reprendrai ce que j'avais entrepris l'année dernière, en le modifiant et en le poursuivant.

J'ai une peur atroce de tout ce qui devrait arriver et qui n'arrive pas ; il y a des jours où je suis malade parce que telle chose devait se produire — non pas même pour moi, non pas à aucun degré désirée ou désirable, simplement une chose quelconque — et qu'elle ne se produit pas ; les femmes qui ne trouvent pas l'amour, j'ai pour elles une pitié qui est déjà presque de l'amour ; et c'est ma façon de haïr certaines conventions sociales ; entendre dire à quelqu'un qu'il s'ennuie ça me fait plus de mal que si je m'ennuyais moi-même. La peur des « manques » — comme une baudruche mal gonflée, à côté d'un beau corps humain qui remplit divinement ses lignes ; j'ai souffert vraiment, cette année, ces derniers mois surtout, à cause de ça.

Mais Rivière a bien raison de dire, dans son article sur Suarès, qu'il est trop simple de n'être que malheureux [1]. Je suppose que vous n'avez pas lu le dernier numéro de la *Revue Française* (où je n'ai pas paru, Schlumberger me renvoyant au mois de mai), et je vous copie des strophes de l'*Hymne du Saint-Sacrement* de Claudel [2] :

« Terrible silence de midi où votre nom seul est répandu !
O gardien de Jérusalem, qu'aucun de vous ne me réveille ou m'appelle
O foi qui surpasse le sens ! acclamation de la prière entendue !
O véritable ami, votre nom est comme un parfum répandu !

_____

2. Paru dans le même numéro de la *N.R.F.* Voir lettre précédente.

« Demeure comme un signe sur mon bras et comme un bouquet de myrrhe entre mes mamelles !

« Vous m'avez accablé de vos bienfaits, qui suis un ingrat et un pécheur.
Qu'un autre c'est possible, trouve que votre joug est lourd.
Mais moi je n'ai connu que votre bonté et jamais votre rigueur.
Je tiens votre main dans la mienne, je sais que Vous êtes mon Rédempteur
Et je rirai à mon Dernier jour !

« Demeurez avec moi, Seigneur, en ce jour de la guerre et du danger !
Regardez votre serviteur qui n'est pas bien brave et vaillant !
O mon maître ! donnez-moi de ce pain à manger !
Et ni les hommes, ni l'enfer, ni Dieu même ne pourront m'arracher
Votre corps que je possède entre mes dents ! »

Après dîner :
Je relis ce que je viens de vous transcrire : je ne puis plus rien dire après cela. En toute amitié.

R.B.

Le timbre que je vous envoie ci-contre veut dire ceci : pendant que Fournier est à Mirande [3] et Jacques je ne sais où (Paris ou Bordeaux ?), je suis, moi, jusqu'au 18 avril à *Pithiviers, rue des Pressoirs.*

---

3. Fournier qui vient de terminer avec succès ses examens d'élève-officier de réserve est affecté à la garnison de Mirande, dans le Gers, avec le grade de sous-lieutenant. Il y arrive le 8 avril. Rivière est en vacances chez ses tantes à Cenon près de Bordeaux. Pâques est le 11 avril.

41.

Fournier à Bichet

Mirande, 7 mai 1909

> Donnez-moi votre main, prince Hamlet, je connais
> Cette fièvre...

Depuis des jours, à propos de toi, je me répète ce début de poème, dans la solitude. — Le printemps s'enfonce dans les feuillages du parc, et de lourdes taches d'ombres coulent sur sa chevelure. L'odeur la plus fanée se mêle à celle que je n'avais pas respirée encore. Et le soir, doucement toutes les voix s'unissent pour l'accord le plus désolant. Ah ! il ne s'agit plus même d'amour — Mais que faire de nos âmes lorsque ces délices terribles les invitent à « se défaire ».

Ce monde, qu'au plus profond du paysage je découvre, en avançant entre les branches mon visage extasié ; ce pays de vertige où, comme un jeune roi fauve, je suis passé, quand le soleil de cinq heures du soir était un feu d'été allumé sur la place ; cette maison verte où les enfants, réunis à l'endroit le plus frais, organisent le bonheur — cela suffira-t-il à calmer ce gonflement de cœur, à consoler cette montée de larmes.

Moi aussi j'ai lu l'histoire d'Alissa. Au coin du feu, près de ma mère, dans un silence prolongé, qui semblait croître, comme un petit garçon, il était trop tard : je venais de lire :

« c'est ici que je viens me réfugier contre le vie... » et toute
cette peine accumulée me secouait. Je me suis enfui.

Mais où m'enfuirais-je ?

Quelque chose a fait couler l'autre matin des larmes plus
précieuses. Dans un mauvais livre il était parlé de Bernadette
et des malades de Lourdes. Vais-je répandre indignement le
trouble que je ressens? Que dirai-je pour exprimer tant de
douceur, tant de chagrin mystérieux ? Compagne perdue,
sœur toute-puissante, *turris eburnea, janua coeli* [1]. Reine terrible qui souriait silencieusement derrière moi, tandis que je
lisais, et qui m'a posé ta main sur l'épaule avec tant de
douceur...

Je voudrais, quand tu liras ceci, pour prix de tant d'impudeur, que tu songes, ne fût-ce qu'une seconde, à ce visage
inondé.

— Jacques m'a reproché l'autre jour « ma pureté », ce culte
trop pur rendu aux femmes. Il ne s'agit pas de cela. J'ai eu
pour elles le regard de l'« Idiot » qui va d'abord vers l'âme.
C'est *chez elles* que j'ai trouvé, le plus à nu, comme écorchée
— chose qui n'est pas de ce monde et qui fait presque trem-
bler de délice et de répulsion à la regarder d'aussi près —,
l'âme. Je connais, lui disais-je, le plissement de cou des visages tournés vers moi, bouche tordue ; les lentes confidences
de la plus hautaine ; l'abandon douloureux de la plus cérémo-
nieuse. Elles sont toutes venues vers moi, comme vers le
prince innocent, avec un amour qui ne portait plus ce nom.

— A l'heure la plus nocturne de la nuit du printemps, je
suis dans la maison de la fille perdue. J'ai couché dans son lit ;
il n'y a plus rien à dire, je vais descendre par le perron du jardin et m'en aller dans l'obscurité. Mais au moment de terminer l'entrevue secrète, elle me retient par le bras et se laisse
aller à la renverse sur le lit, en disant : « Ecoute ! » Et en effet
une voix a jailli tout près de nous, dans le jardin, cela monte

---

1. Invocation empruntée aux Litanies de Lorette. Fournier avait été
bouleversé par la lecture des *Foules de Lourdes*, de Huysmans et, se trouvant à Mirande, il s'était rendu à Lourdes. Il écrit à Jacques Rivière le 2
mai : « J'ai commencé l'autre jour *les Foules de Lourdes*... et je suis resté en
larmes toute une matinée. » (JRAF II 284)

avec une joie qui soulève, avec une confiance qui fait sourire, avec une pureté qui désinfecterait l'enfer. Le rossignol chante ; et la femme, comme quelqu'un qui a vu dans un champ, bien des fois, sans en parler, le conciliabule des anges, et qui vous rassure, en le traversant avec vous, sourit et me dit : « Toutes les nuits, il est là. » Maintenant que je suis avec elle et que je lui donne la main, elle ne sent plus cette peur qui me fait, moi, claquer des dents. Nous ne respirons plus, nous écoutons au fond de la nuit chanter l'âme :

« O gardiens de Jérusalem, qu'aucun de vous ne me réveille ou m'appelle !

O foi qui surpasse le sens ! acclamation de la prière entendue !

Terrible silence de minuit où votre nom seul est répondu !

O véritable ami... »

— Je te prie de ne pas avoir peur de moi.

J'ai aimé ceux qui étaient si forts et si illuminés qu'ils paraissaient autour d'eux créer comme un monde inconnu. Pourquoi ne t'aimerais-je pas ?

Henri.

(Réponse à une lettre reçue le 3 avril 1909.)

42.

Bichet à Lhote

(20 mai 09) 5 heures du soir

Mon cher Lhote,

Je sais que vous avez eu mille raisons, plus une, pour ne pas m'écrire. Mais à ma lettre elle-même ne devez-vous rien répondre ? Je voudrais, dans ce que je vous dis, assez d'abandon, et comme une sorte de tiédeur, pour que la réponse tout de suite s'impose à vous, se dicte — et vous reste, à vous sinon à moi, lorsque les circonstances ne vous permettent pas de me la communiquer. Je voudrais entre nous deux une certaine « hauteur » ; je me consolerais ainsi de ne pas entendre ce que vous avez à me dire, en pensant que du moins vous le dites à vous-même. Si mes paroles tombent auprès de vous sans rien susciter — c'est horrible, c'est l'affreux manque, le trou, la discontinuité, et moi qui veux partout une continuité vivante, et je sais que vous la voyez ainsi !

Pardonnez-moi, n'est-ce pas, ce qu'il y a d'égoïste dans tout ceci ; je désirerais que vous compreniez ce qu'il y a de « pureté ». Nous avons un besoin très grand de pureté — celle qui mène à la *Porte Étroite*, celle qui brûle la lumière de la pleine lune sur Notre-Dame. C'est aussi celle qui met dans certains Gauguin, à côté des bleus et des rouges sensuels, tout aussi sensuel mais plus émouvant encore, le rose enfantin,

pâle, exténué, comme un son de violon sur la chanterelle. Le
délice qui, devant des arbres en fleurs et des eaux mauves,
vous soulève toute l'âme ; la note que chante cet Enfant de
Rembrandt, dont peut-être je vous ai parlé déjà, effleuré de
lumière à la tempe, noyé dans la musique comme un Ange
dans la rosace mystique. Si je puis, j'ébaucherai ces vacances
un *Orphée*, où je tâcherai de mettre un peu cela : les chants
d'Orphée sont si effroyablement purs, si tranquilles et si chas-
tes, que le désir est tué ; les voyageurs partis le matin, qui,
pour voir le poëte, ont traversé des déserts et soupiré après les
sources, ne sentent plus ni la soif ni le soleil quand ils arrivent
à la ville ; tous les habitants baignent dans le resplendisse-
ment de l'amour d'Orphée. Mais comme cela dépasse la faiblesse humaine, Eurydice meurt, et Orphée pour la reconqué-
rir est obligé de « condescendre », de pactiser avec la Vie inférieure, de trouver le présent qui, mis dans les mains d'Eurydice, lui rendra le désir et la fera rentrer dans le souci des choses basses. Et alors, cette fois, elle meurt comme les autres,
après une deuxième vie pareille à celle des autres ; l'âme
d'Orphée, ayant commencé par où les plus saints ne finissent
même pas toujours, est désemparée, vide — et c'est Orphée
lui-même, qui un soir le raconte — et lorsqu'un des jeunes
pâtres qui l'écoutent murmure malgré lui : « La joie »,
Orphée ne peut rien dire ; ce mot vague, chuchoté, pareil à
un mirage devant qui l'on n'ose pas bouger de peur qu'il ne
s'évanouisse, est toute sa dernière consolation.

Évidemment, je ne devrais pas dire ça d'une manière aussi
didactique, et comme une démonstration que j'exposerais.
Mais je tenais tant à vous le dire — aujourd'hui, à cause de la
lumière, qui est aussi chaude et aussi poignante que celle que
je voudrais mettre dans mon drame. Bien entendu, j'attends,
pour y penser mieux, d'être chez moi, seul.

Je lis du Pascal depuis quinze jours. Quel homme ! quelle
conscience de sa richesse, et comme il a l'horreur du juste
milieu ! Claudel, dans une lettre à Rivière, disait que le crime
des morales antiques, c'est de limiter l'homme et de le pousser au renoncement, par courage en apparence, en réalité par
lâcheté ; le christianisme, au contraire c'est tout l'un ou tout

l'autre — souvent tout l'un *et* tout l'autre. Pascal est le plus grand des chrétiens. Madame Périer, quand elle nous raconte sa vie, et son arrivée à Port-Royal, dit qu'il renonça à la science, au monde, à la philosophie ; quelle erreur ! Il ne renonce jamais ; il vit toujours aussi pleinement, et des mêmes trésors ; simplement, il les prend dans le creux de sa main, et s'il les regarde avec complaisance, ce n'est qu'un instant, avant de les offrir à Dieu. Je me le représente malade, le front brûlant, dans son lit, dictant au petit Périer qui sait à peine écrire : « Plût à Dieu que nous n'eussions jamais besoin de la raison, et que nous connussions toutes choses par instinct et par sentiment ! »

Jacques a dû vous écrire récemment, et vous parler de l'exposition Gauguin et de diverses autres choses. Il a dû raconter son déjeuner chez Gide [1] — Gide que je connaîtrai à la fin du mois prochain. Ici, à l'Ecole, j'ai découvert un type très intéressant qui, s'il n'aime pas comme il le faudrait Matisse et Friesz, admire du moins violemment Gauguin, Van Gogh, Girieud, et après *le Jardin d'Amour* ; il est Bordelais ; je [2]   vous l'envoyer ces vacances — vous

Je vous en reparlerai.

                        bien à vous, et que les dix mille lotus du bonheur fleurissent sous votre fenêtre.

                                        R.B.

---

1. « J'ai été déjeuner chez Gide mardi dernier, dans la plus grande intimité, puisqu'il n'y avait que sa femme et lui. Il a été délicieux. Nous nous sommes promenés au Bois ensemble. Il m'a dit avoir aimé votre tableau. » Lettre de Jacques Rivière à André Lhote du 16 mai 1909.

2. Une énorme tache d'encre nous rend ces dernières lignes indéchiffrables.

43.

André Lhote à René Bichet

Bx. le jeudi, mai 1909 (20 ou 27)

Mon cher Bichet,

Vous n'aurez pas encore la lettre pleine et expressive que je désire autant que vous — Je m'en excuserai en invoquant les mille soucis quotidiens qu'amène une vie nouvelle pleine de joies, d'occupations et de préoccupations.

— Il y a à peine quinze jours que je suis marié [1] et nous n'avons jusqu'ici goûté qu'un seul jour de calme repos, à la campagne — où nous allâmes chercher un logement — Ainsi, non seulement, dès le lendemain de notre mariage, ma femme a commencé sans transition une vie matérielle difficile et misérable, mais ne s'est pas encore reposée un instant [2]. Qu'aurais-je à dire en ce moment de plus que cela ?

Mais je pense que nous pourrons, vers la Pentecôte prendre possession de la chambre — (une chambre crue, peinte à la chaux, possédant un lit de campagne, deux escabeaux et un

1. André Lhote s'est marié le 11 mai avec Marguerite Hayet dont le père, qui était ébéniste, avait fait travailler André.

2. Marguerite était passée en effet d'une vie relativement aisée à l'existence d'André qui était pratiquement sans ressources.

établi servant de table) — que nous avons louée à Bouliac et
où nous habiterons pendant deux mois. Plus que jamais le
bruit et l'aspect de la rue nous insupportent et ce n'est que
dans le calme de sous les bois que je pourrai enfin, vous écrire
longuement.

Vous n'aurez sans doute pas pu aller chez Othon Frietz voir
les toiles pour l'exposition du Havre — Le tableau dont la
photo est ci-incluse a été composé à la fin de deux jours d'études sans but expressif. Comme, ne sachant ce que j'enverrais,
j'avais mis sur ma notice, envoyée quinze jours auparavant,
comme titre : « Suite de gestes » ; qu'ensuite, exposant avec
des peintres qui ne remarqueraient que le métier, j'avais à
écarter tout symbolisme de mon tableau, *j'ai simplement cherché un arrangement harmonieux et franchement rythmé de gestes
inédits* — Ça ne rime à rien d'intérieur ; qu'à, peut-être, un
souvenir vague de quelque passage des Mille et Une Nuits.

C'est beaucoup mieux peint que le « Jardin d'Amour »
— Je crois que je n'ai pas à regretter de faire de temps en
temps de pareils exercices s'ils me font trouver des gestes
nouveaux, si j'y trouve, chaque fois, une lettre nouvelle de
mon alphabet. Les meilleures œuvres sont peut-être celles qui
sont composées après une longue période de recherches
désintéressées. On a la tête pleine de gestes et de rythmes et
l'on n'a qu'à puiser dans son souvenir pour trouver spontanément les éléments de sa phrase symbolique.

C'est pourquoi je désire ardemment que quelque long repos
vous permette de travailler à cet *Orphée* que vous rêvez. J'en
admire déjà très sincèrement l'idée, qui est d'accord avec les
nôtres à tous — Je sais que j'y retrouverai les qualités que
j'aime dans vos poèmes, vivifiées par le sujet. Vous vous
deviez à un pareil effort, vous ne pouviez pas rester dans des
recherches fragmentaires.Vous verrez comme c'est bon de travailler à propos de quelque chose de despotiquement profond.
Gide aimera cela très certainement. Et je suis heureux que
vous le connaissiez bientôt.

— Si ce Bordelais dont vous me parlez vient à Bx ces

jours-ci, envoyez-le-moi — Il me trouvera certainement à mon
atelier le *Jeudi* toute la journée.

Mon cher Bichet, la phrase que vous me citez, de Pascal, ne
pouvait mieux arriver que maintenant. Plus que jamais j'ai
horreur du « raisonnement » et me laisse aller complètement
à mon instinct et à mon sentiment. C'est ce qu'il y a de meil-
leur — Et la récompense immédiate vient toujours au cœur
simple qui accepte la vie telle qu'elle lui vient.

J'ai beaucoup à vous parler de certaine inquiétude qui
m'obsède cependant, certainement parce que je ne suis pas
assez simple. Mais c'est tellement grave que j'attends la tranquillité de ma chère campagne pour vous en causer.

A bientôt donc et que cela ne vous empêche pas de m'écrire
encore si vous en avez le désir.

Croyez bien qu'à chaque instant, je suis prêt à vous recevoir
et que l'atmosphère de vos lettres m'est infiniment douce et
fraternelle.

André

44.

Bichet à Lhote

Mai 1909

Mon cher Lhote.

Tout fin, tout bref, un mot pourtant. Je viens des Arts décoratifs, où exposées des estampes japonaises de Harounobou, et Shunshô. Je me suis rappelé, en les voyant, ce que vous disiez : « lyrisme du trait », n'est-ce pas ? Harounobou surtout, c'est bien cela : femmes très longues dont les robes, jaune pâle, violet pâle, ou d'un noir inouï qui se contourne comme du velours, flottent en courbes ; les couleurs ou très diluées ou du vermillon le plus pur ; Shunshô, des études d'acteurs — on pense à Claudel, vous savez, dans *Connaissance de l'Est* ? Je crois que ni l'un ni l'autre ne composent à plus de trois figures : il y a une joyeuse assemblée, huit ou dix personnages, qui est la confusion même ; mais ils sont admirables pour *appuyer* deux personnes, une, par exemple, debout et l'autre assise tout auprès sur un tabouret bas, avec une grosse virgule d'étoffes mates qui retombent.

(Et maintenant il faudrait regarder un Apollon archaïque ou un Rouault).

J'avais envoyé, tout brusquement, vendredi, trois pages à

André Gide. Il paraît que « c'est de la bonne copie ». Well, comme dit Thomas Pollock [1].

Tous respects et souvenirs à madame Marguerite Lhote. A vous.

R.B.

---

1. Dans l'*Échange* de Paul Claudel.

45.

Bichet à Lhote

Lundi, 14 juin (1909)

Mon cher Lhote,

Je n'ai pas le temps de vous écrire beaucoup : l'oral de mon examen commence jeudi ou vendredi, et si peu grave que ce soit, il faut tout de même que je le prépare vaguement. Je vous dirai un peu plus tard tout ce que j'ai à vous dire. Je vous envoie, en même temps que cette lettre, le numéro de juin de la *Revue Française*, où Schlumberger s'est décidé à faire paraître mes trois poèmes ; j'avais été sur le point de les retirer, non pas, comprenez-moi bien, par impatience de ne pas les voir publiés, mais par dégoût d'eux et de moi-même ; maintenant encore, en les relisant, je ne crois pas me tromper en les jugeant supérieurs au reste du numéro, mais je vois trop clairement tout ce qui leur manque : ce sont de petits exercices de style — des variations sur quelques thèmes élémentaires — assez harmonieuses parfois, mais où donc nouvelles et réellement émouvantes ? Et le plus terrible, c'est que j'ai peur de ne jamais m'élever au-dessus ; j'écrivais ça, non pas de chic, grand Dieu, mais tout de même sans avoir beaucoup vécu de ces minutes terribles qui vous entrent dans l'âme comme un clou — depuis, et à présent que j'ai l'expérience de plusieurs choses admirables et effrayantes, je me sens tellement écrasé que je ne puis rien fixer — par peur de trop fixer précisément. Je compte beaucoup sur les vacances prochaines (malgré la perspective déjà de l'agrégation, qui me pousse au travail le plus scolaire), et même sur la présence ici pendant une semaine du sous-lieutenant Henri Fournier, que l'on attend le 25 ou le 26 [1].

Jacques m'a montré une photo de votre toile. Vous-même en disiez ce qu'il y avait à en dire. Mais vous avez beau faire — ne faire et ne vouloir qu'une simple étude de gestes — la figure du coin droit, pour ne parler que d'elle, est autre chose et beaucoup plus : elle m'a ému vraiment. Rivière au premier abord faisait des réserves, mais après lecture du passage de votre lettre il a compris et acquiescé.

Vu une exposition de Paysages d'Eau, du vieux Claude Monet. Un type qui sait voir évidemment, et voir deux nocturnes différents dans le même fleuve à une demi-heure d'intervalle ; sans doute aussi, des tons délicieux, séduisants, d'une sensualité un peu apprêtée et de laquelle, ne sais trop pourquoi, on cherche à se défendre. Dans l'ensemble, cela me faisait penser à du Samain :

Voici que les jardins de la nuit vont fleurir,

Et à des promenades de vacances, au bord du Loing, jadis, — si pâle, si tristement adolescent déjà tout ce passé, que je ne *crois* plus l'avoir vécu.

Excusez-moi, et attendez une lettre plus signifiante. Je vous envie, parce que vous êtes très fort. Présentez mes respects à Mme Lhote, que je ne connais pas, mais par qui j'aimerais entendre récitée l'*Histoire de l'Épi*.

R.B.

---

1. Henri avait une permission d'une semaine qu'il passa à Paris.

46.

Bichet à Lhote

Mardi 22 juin 1909

Mon cher Lhote,

Je ne sais plus bien où j'en suis avec vous ; je vous ai envoyé récemment, si je ne me trompe, quelques très brefs mots, accompagnant la *Revue Française* : vous avez reçu l'un et l'autre, j'aime à croire ? J'aurai désormais, et dès ce soir, plus de temps à vous consacrer, car j'ai fini mon examen, et je reste encore un mois ici, lisant, rôdant, rêvassant, à moins que bientôt le désir des plaines ne l'emporte en moi.

J'aime beaucoup que vous soyez installé à la campagne, dans un petit village où l'on m'a dit qu'il existe une splendide église romane aux chapiteaux larges et expressifs. Moi, ici, je ne fais rien. J'ai des courses qui m'obligent à sortir, et dès que je suis resté une heure dehors je suis éreinté, et une fois revenu à ma table de travail je ne puis ni penser ni écrire; si, au contraire je demeure à l'École, il y a malgré moi influence du milieu, et le résultat est le même. Quand on a subi comme moi plusieurs années de lycée, quand on a été imbibé d'une certaine « culture », il arrive un jour fatalement où quelque chose craque : les habitudes qu'on a voulu nous imposer, les cadres où l'on a voulu, à force, insérer notre pensée — tout ça ne suffit plus ; il y a la vie, la complexité sentimentale, qui se

dresse tout d'un coup, et qui a besoin de place, de beaucoup
plus de place qu'on ne lui en donne, puisque d'ailleurs la plupart du temps on n'a jamais réfléchi qu'il faudrait lui en donner. Alors, on se trouve très triste et très seul ; voyez une âme
comme celle de Gide : admirable, sans doute — mais si terriblement et perpétuellement inquiète, tiraillée —, les ironies
de *Paludes* après la ferveur des *Nourritures*, et après l'*Immora-
liste* c'est la *Porte Étroite*. Moi, je rêve une sérénité — ne prenez pas ce mot en mauvaise part —, analogue à celle des artis-
tes du Moyen Âge : une tradition qui n'est pas une tyrannie,
mais qui épargne à l'âme individuelle de se complaire dans
son désarroi, c'est-à-dire dans son orgueil — qui chasse les
subtilités, qui enseigne à l'artiste son pays et son temps. Il
nous manque le sens de la France. Aussi nos efforts
n'atteignent-ils pas le fond du cœur, ni en nous-mêmes ni en
ceux qui nous entourent, et beaucoup de jeunes gens doués
d'une sensibilité exquise ou forte n'arrivent-ils qu'à faire des
égratignures. On ne sait plus ce que c'est qu'une grande passion — comme au temps des cathédrales la passion de la
foi —, et l'on s'éparpille en croyant s'augmenter. J'en veux de
plus en plus à Ménalque, j'aperçois de plus en plus ce qu'il
faudrait lui répondre.

Une preuve que je ne suis bon à rien : je ressasse ce que j'ai
fait, au lieu de penser à ce que je veux faire (et dois faire).
Accepter la vie comme elle est, dites-vous ? C'est très bien
quand il s'agit de moi, de ma vie à moi ; mais si à côté de moi,
chez des personnes que j'aime ou simplement avec qui je
sympathise, de grands ennuis ou de grandes douleurs s'abat-
tent ? Croyez-vous que je puisse accepter ça ? Je ne le peux
pas.

Comme je pense que vous n'avez pas l'*Occident* [1] et comme
j'ignore ce que Jacques a pu vous écrire, voici des strophes de
l'*Hymne de la Pentecôte* de Claudel :

« Lorsque le soir viendra, effaçant rubrique et majuscule,

—————

1. Numéro dans lequel venait de paraître l'étude de Rivière sur Claudel : *Paul Claudel, poète chrétien.*

Lorsque tout mon office est dit jusqu'au dernier capitule,
Sans livre ni chapelet je reste en ce grand soir vermeil,
« Deux planètes, en ligne oblique, l'une basse, l'autre
haute,
S'en vont vers le soleil qui s'en va dans ce soir de la
Pentecôte,
Comme un faucon d'argent qui couvre une colombe de
perle.
« Tout s'est tu, mais l'esprit qui contient toute chose ne
se contient pas en moi,
L'esprit qui tient toute chose ensemble a la science de la
Voix,
Son cri intarissable en moi comme une eau qui fuse et qui
déferle ! »

Au revoir. Je vous enverrai Tuffrau [2], dont je vous ai parlé
déjà, aux grandes vacances ; c'est un moyenâgeux, et qui a
connu aussi l'inquiétude ; Nietzsche, dit-il, l'en a guéri, et
aussi l'art gothique.

Toutes mes amitiés.

R.B.

---

2. Tuffrau, médiéviste, auteur d'une traduction des *Lais* de Marie de
France, publié chez Piazza.

47.

Lhote à Bichet[1]

1er juillet 1909

« Décidément les caractères d'imprimerie confèrent à l'écriture je ne sais quelle clarté calme [2].

Il faut que je songe à des essais d'illustration. J'ai devant moi quelques exemplaires de la « Mangua » d'Hokousaï [3] où les croquis les plus délicieux voisinent avec les plus formidables fantômes. C'est un grand génie, un des plus formidables dessinateurs imaginatifs qui aient été... Il y aurait certainement à apprendre pour un peintre moderne à étudier de près

---

1. Extrait d'une lettre de Lhote à Bichet dont nous ne connaissons pas l'original. Ce texte a été publié dans le catalogue de la vente du fonds Jean Loize. Hôtel Drouot, vendredi 6 mai 1983.

2. Bichet avait publié dans la *N.R.F.* de juin ses trois poèmes : *L'Attente, Fête, Histoire de l'Épi.*

3. Hokousaï (1760-1849). Peintre japonais, chef de l'école réaliste. Il illustra une encyclopédie de la vie japonaise en 15 volumes : *La Mangua.* Claude Monet collectionna dans sa maison de Giverny les plus belles estampes des peintres japonais et contribua à les faire connaître en France. Son œuvre la plus connue est *la Vague* qui inspira, dit-on, Claude Debussy pour *la Mer* et Camille Claudel pour son œuvre intitulée justement *la Vague.*

cet art, qui, comme l'Étrusque mélange si hardiment la
liberté la plus astucieuse à la scène profonde.

Je vois se dessiner devant ma pensée peu à peu mes
tableaux futurs comme une page d'écriture, avec des taches.
Je ne suis pas dessinateur et pourtant j'ai l'amour profond du
trait aigu, fou, abstrait, lyrique, maître absolu de la forme,
qu'il resserre ou fait jaillir démesurément.

... Vous faites bien de me parler de Samain à propos de
Monet [4]... Leur art, quelque savant qu'il soit, ne vit pas.
L'un, tout à sa musique intérieure... et l'autre hypnotisé par
la forme immédiate, ne nous en présente que l'enveloppe
extérieure sans un brin d'esprit pour l'animer... Parlez-moi à
votre tour d'Isadora Duncan.

---

4. Voir lettre 45 du 14-6-1909.

48.

Bichet à Lhote

Samedi 10 juillet 1909 [1]

Mon cher Lhote,

Tranquillisez-vous, si jamais vous avez été inquiet : mon examen s'est passé admirablement, j'ai été reçu avec toute la gloire possible, et depuis bientôt trois semaines je suis libre des immédiates préoccupations scolaires. Ce sont mes derniers jours de tranquillité — à ce point de vue du moins ; je lis un peu partout ; je voudrais faire mieux, travailler, combiner, ou même écrire, mais je ne le peux pas à Paris, et d'ailleurs j'ai en ce moment trop de souffrance à vaincre. Nietzsche, que je lis beaucoup parce qu'il est la Force, a dit : « Ce qui ne nous fait pas périr nous rend plus forts. » Je vous jure que je le désire autant qu'on peut désirer — mais je ne sais pas encore, cela est encore trop près, trop grand, et du reste sans cesse ravivé —, il faut que du temps se passe, et que me revienne l'éternelle plaine de Beauce. Croyez-vous profondément, vous, à cette phrase de Rivière, qu'il est vraiment trop simple de n'être que malheureux [2] ? Si quelque chose peut me

---

1. Le 1er juillet, Lhote écrit à Rivière : « J'ai autant écrit les lettres ci-incluses pour vous que pour Fournier et Bichet. C'est terrible pour trouver le temps d'écrire à trois personnes à la fois. »
2. Voir lettre 38 à Jacques Rivière.

donne la Grâce d'*accepter*, d'acquiescer à ce qui est tel qu'il est, à ce qu'il y a de durable dans la douleur et de passager dans la Joie, c'est mon pays plat, pur de toute agitation, où la même ferveur brûle depuis des siècles et où l'on sent toujours vivre la même terre sous la succession des cultures.

Jacques a dû vous parler de ce déjeuner avec Gide et Rouart — (il y a des jours où cela me paraît tellement ancien). Gide est l'homme le plus séduisant, sans qu'on devine pourquoi. Pas pu lui dire, vous pensez, tout ce que j'aurais voulu, à cette première entrevue, et dans cette taverne ; comme je regrette qu'il ne rentre pas à Paris avant l'automne ! Je sais qu'il comprendrait tout. Je pense — vous me direz votre opinion là-dessus — lui envoyer quelques-unes encore des pages que j'ai dans mon tiroir, réunies sous le titre provisoire de *Les Pleurants* — des choses sans doute trop sèches, d'une émotion presque purement intellectuelle malgré le vêtement lyrique, mais pourquoi faire des catégories dans les émotions ? *Orphée*, s'il est jamais écrit, sera cela aussi : dans au moins tout le premier acte, c'est l'absence de désir et de peine, — la pure sensualité de la contemplation et de la main immobile repliée contre le cœur — qui devra se faire émouvante. Une lumière comme du soleil dans un fleuve, on ne voit plus que le fleuve qui coule. Et puis, à la fin, tout tombera, tout cet effort sera ruiné : dans le village désert où s'étaient établis mes héros — dans le village abandonné, de nouveau se rueront les pillards Thraces, et Orphée s'en ira, n'ayant rien obtenu, rien prouvé. Le mot « Joie » parlé tout bas c'est tout ce qui restera.

— Chronique de ces jours derniers : entendu *Tristan* —, un soir où j'étais beaucoup trop las, aussi le premier acte et une grande moitié du second ont-ils passé devant moi comme de l'eau. Vu chez Druet de très beaux Friesz, déjà anciens : des paysages d'automne, rouge et jaune, des arbres dans un canal reflétés ; plus récent, un vallon, et des verdures sombres, riches, à vouloir y enfoncer les mains. Chez Bernheim, une admirable « Petite Fille » de Van Dongen.

Dimanche soir (rue Dauphine)

Jacques me charge de vous dire : qu'il a reçu votre lettre
après avoir expédié la sienne ; qu'il vous remercie du croquis : que l'admissibilité de l'agrégation ne sera connue qu'à
la fin de ce mois, que l'oral commencera le 1er août et que le
résultat définitif sera donné vers le 15 août ; que les tableaux
ne sont pas revenus du Havre (que faut-il faire ?). Il vous prie
de faire mettre une enveloppe à sa bicyclette : cela sera porté
sur son compte.

Lundi matin

Sommes allés hier, les Fournier et moi, au musée des mou-
lages du Trocadéro, et j'ai revu le Dieu d'Amiens, les statues
de Chartres, les Pleurants du tombeau du duc de Bourgogne.
Vraiment, quand de là on passe à la salle du XVIe, c'est une
pitié de voir supprimées tant de foi et tant de science instinc-
tive. Et aujourd'hui non plus, rien n'existe de tout cela, de cet
immense élan qui soutenait sans le tyranniser le génie de chaque artiste.

Pour terminer : Tuffrau sera à Bordeaux dans le courant
d'août ; je lui ai donné votre adresse de la rue Mouneyra en
lui disant que vous y étiez le jeudi, quelquefois le samedi : je
ne me suis pas trompé, n'est-ce pas ? Il habite, lui, 38, rue de
Soissons.

Je suis à Paris pour encore 2 semaines. A partir du 29 juillet, Pithiviers (Loiret), rue des Pressoirs.

Bien à vous.

                                                    R.B.

49.

Rivière à Bichet

Lundi 3-08-1909

Mon cher ami,

C'est vrai. L'Université ne veut pas de moi.

Je commence à surmonter mon très gros chagrin. Nous allons nous marier quand même, et habiterons avec les Fournier. Je me représenterai sans travailler. Mais pourquoi serais-je reçu ? Je n'ai plus d'illusion sur mon compte.

Gide, de passage à Paris, a été exquis pour moi. Il va s'occuper de me trouver un travail quelconque.

Écris-moi.

Jacques

---

1. Jacques Rivière avait été refusé au concours d'agrégation de philosophie. Le mariage aura lieu le 24 août 1909 dans l'église Saint-Germain-des-Prés à Paris.

50.

Bichet à Rivière

Pithiviers, 15 août 1909

Mon cher Jacques,

Je suis bien ennuyé de n'avoir pas eu encore le courage de t'écrire ; je ne sais même pas où tu es, et c'est à tout hasard que j'adresse ceci à Bordeaux ; j'ai eu trop chaud, je suis absolument mort, je ne vaux rien ; et puis, j'avais honte de te raconter quoi que ce soit, de te parler de moi après ce malheureux accident de l'agrégation.

Rien à dire, d'ailleurs. Il n'y a rien. La plaine est vide, la chaleur creuse tout, les volets sont fermés jusqu'au soleil couchant, et après dîner, lorsque je sors, la nuit tombante est d'une pureté si admirable, d'une sérénité si surhumaine qu'elle fait peur à mes pauvres incertitudes. « Et nous avons connu la pureté ! C'est d'elle que nous avions le désir le plus incroyable ! C'est elle qui nous souleva, qui nous fit partir, quand les promesses défaillaient et que les amants, les mains sur les épaules, cherchaient en vain dans leurs regards, que sais-je ? une beauté moins tragique ! » J'avais écrit cela dans de vagues notes ; et ç'aura été un de mes chagrins de cette année, le désir, au sein de la chair même, d'autre chose. Mais il faut se soumettre et accepter (des mots, des mots ! Il y a des jours où je les comprends, d'autres où ils me dégoûtent, comme tout du reste).

Je ne fais rien de rien. « Orphée » est en panne et y restera, parce que ce n'est qu'une logomachie. Au fond, manque de bonne volonté : tout est là. Je sens très bien, même dans les moments où je ne sens pas grand-chose, qu'il y a de quoi *faire*, de quoi créer ; mais nous sommes trop instruits, nous avons lu trop de livres ; et nous ne savons guère que ça ; nous ne pouvons plus être seuls.

Jules Romains est bien bon (ou bien heureux) de trouver une unité dans la génération actuelle : il connaît six jeunes individus, et il croit nous connaître tous. Cette assurance m'horripile ; il généralise et affirme comme Taine.

Au fond, rien n'est important, rien n'est intéressant que ceci peut-être : le croire, et te l'écrire.

Me permets-tu d'être un peu ravi, et même beaucoup, de te revoir l'an prochain — malgré tout ? Nous nous étions quittés bien tristement. Mais l'an prochain je me murerai, pour des tas de raisons, parce que c'est le seul moyen de soutenir ma volonté et parce que je ne suis plus bon qu'à ça.

Tu me répondras et me diras : 1) quand tu te maries ; 2) si tu as des nouvelles d'Henri ; 3) si tu as des nouvelles de Lhote ; 4) s'il faut que je te renvoie vite tes deux bouquins (je n'ai lu qu'une fois *Les Frères Karamazov*, mais il m'est impossible d'y revenir, au moins pour l'instant).

Mes amitiés à la princesse Rose-dans-le-Calice, à sa mère (que le nom d'Allah soit sur elle et autour d'elle !) et à son père, lequel, comme on sait, fut désolé à l'extrême limite de la désolation quand il vit revenir, pâle et les larmes aux yeux, le jeune prince Délices-du-Monde [1].

R.B.

---

1. Il s'agit naturellement sous cette forme poétique d'Isabelle Fournier, fiancée de Jacques, de sa mère et de son père : Madame et Monsieur Fournier, et enfin de Jacques lui-même qui venait d'échouer à l'agrégation de philosophie. Son mariage ne devait pas pour autant être compromis et les parents Fournier décidèrent que « leurs enfants » se marieraient malgré cet échec et qu'ils habiteraient provisoirement avec eux rue Cassini.

Le mariage eut lieu le 24 août (voir lettre précédente).

51.

Bichet à
Isabelle Rivière

Fontainebleau, 25 août 1909

Madame Jacques Rivière
24, rue Dauphine, Paris 6e

Madame,
N'ayant pu venir à Paris hier, je tiens du moins à être,
Madame,
l'un des premiers à vous écrire, et je vous adresse, de ce
pays trop charmant où l'ennui même est sans effort insinuant
et joli, cette carte avec laquelle j'ai l'honneur d'être,
Madame,
Votre très humble, très obéissant et très repentant
serviteur [1].

R.B.

---

1. René Bichet n'avait pu assister au mariage de Jacques et d'Isabelle
qui s'était d'ailleurs célébré dans la plus stricte intimité, les parents de Jacques étant hostiles à cette union.
La carte postale représente une vue de la forêt de Fontainebleau.

52.

Bichet à Rivière

Pithiviers, 8 septembre 1909

Mon cher Jacques,

J'attendais pour t'écrire simplement qu'un peu de temps se fût passé. J'ai vécu huit jours à Fontainebleau et aux environs — assez dispersé, beaucoup trop mondain (encore que peu) pour mon désir, et dans un pays trop joli. Je suis arrivé à la tranquillité parfaite : j'ai enfoui des tas de choses dans des tas de boîtes, j'ai mis sur ma table un Corneille, parce que nous avons au programme *Rodogune*, et un Balzac, parce que nous avons *Le Cousin Pons*, et je suis parti dans les champs. Quand on dit que toute chose vient à son temps, je voudrais qu'on veuille dire par là que rien n'arrive jamais sans être préparé, qu'il n'y a jamais rien de nouveau ; tout a droit, même avant que de naître, à une certaine somme de passé ; tout se produit dans le monde où son éclosion est nécessaire et presque prévisible ; en tout, j'adorerai ce qui l'a précédé, et il y aura des jours où je tiendrai ainsi dans ma main des années entières.

Hier il ne pleuvait pas, aujourd'hui il pleut. Je n'ai rien de plus à dire. Rien reçu de Lhote, rien d'Henri. Sache que je

t'aime bien, et que Madame Rivière me fasse l'amitié de
croire à

    mes infiniment respectueux hommages.

                                                    R.B.

— Ceci est adressé à Paris, mais je pense que vous êtes tous
à La Chapelle [1] —, et même je le souhaite pour Madame
Fournier, et qu'il pleuve comme ici désespérément tiède et
doux.

---

1. A cette date Henri commence les dernières manœuvres de son temps
de service, dans le Gers. Jacques et Isabelle sont effectivement à La Chapelle avec les parents Fournier qui ont fait surélever d'un étage la petite
maison des grands-parents afin d'y loger le jeune ménage.

53.

Bichet à Rivière

Monsieur Jacques Rivière,
chez Mme Barthe
La Chapelle d'Angillon (Cher)

Pithiviers, 20 septembre 1909

Mon cher Jacques,
Sérieusement, tu serais bien gentil de me donner des nouvelles de tous ; je n'ai rien reçu, depuis mon arrivée ici, ni de toi, ni de Lhote, ni d'Henri. Je suppose Henri tout près de rentrer à La Chapelle [1], et que Lhote viendra pour le Salon d'Automne. Moi, je serai à Paris presque sûrement le 13 ou le 14 octobre, et te viendrai voir le jour même, avec ta permission.

Un merveilleux automne a commencé cette semaine dernière — tel que de prononcer simplement ce nom, automne, je suis tranquille et presque heureux. C'est la meilleure saison

---

1. Libéré le 25 septembre, Henri rentrera directement à Paris où il va se préoccuper de trouver du travail. Par contre, la lettre de Bichet, envoyée à Paris 24, rue Dauphine où habitent encore les Fournier, est réexpédiée à La Chapelle chez Maman Barthe où elle ne parvient que le 22 septembre.

de l'année pour tenter ce que je voudrais faire ; je travaille pas mal. L'automne pour moi ne sera jamais triste, mais l'heure unique de la pureté, le repos comblé de toute une vie dont la seule raison d'être est de dire à présent « J'ai vécu », — et par-delà toute joie et toute souffrance.

Mes amitiés à tous.

R.B.

54.

Bichet à Rivière

Dimanche 18-01-1910

Vieux Jacques,

Il est à peu près sûr que je serai à Paris samedi prochain vers 6 heures. Y seras-tu encore, toi ? J'espère que oui, et te charge de prendre pour moi, en même temps que pour vous tous, une carte au couvent des Bénédictines (se presser) [1].

Je viens de corriger et je renverrai demain matin à Lanux [2] mes épreuves. Je les ai lues ce matin à Moselly, qui a très violemment admiré, et qui m'engage à travailler cette année, disant que Péguy se jetterait là-dessus « comme sur du bon pain ».

Je lis *La Lumière qui s'éteint* [3].

A samedi.

R.B.

---

1. Le couvent des Bénédictines de Saint-Louis-du-Temple, rue Monsieur à Paris, avait une notoriété assez rare parmi les catholiques à cause de la perfection de leurs cérémonies et de leur chant. C'est là que Rivière, en 1913, au terme d'une correspondance pathétique avec Claudel, viendra communier pour Noël. S'agissait-il d'une carte de vœux éditée par les religieuses, c'est possible, vu la date.

2. Pierre de Lanux était secrétaire de la *Nouvelle Revue Française*.

3. De Rudyard Kipling. Roman publié en 1891. (The Light that failed.)

55.

Bichet à Rivière

René Bichet 15-8-1910 [1] à Jacques adressée à La Chapelle

Dimanche 14, rue Cassini

Vieux Jacques,

Très brièvement quelques nouvelles, pendant qu'Henri, tout seul depuis l'horrible chose arrivée chez Tronche [2], rumine à côté de moi un vague courrier [3].

— J'ai passé trois oraux sur cinq : un latin très médiocre et bourré de gaffes, un grec assez sortable, une leçon, hier, mauvaise, sur le seul auteur que je n'avais jamais lu (Cicéron) ; tout ça fait un ensemble dont je n'ai pas le droit d'être fier, même d'une fierté et surtout d'une fierté agrégative. J'en ai pour cinq jours encore ; je saurai samedi soir le résultat et quitterai Paris sans doute dimanche.

---

1. Cette interruption de six mois dans la correspondance de Bichet s'explique peut-être par le fait de la perte de certaines lettres, mais aussi par la réunion à Paris des quatre amis. Rivière, marié, vit avec les Fournier ; les Lhote sont à la villa Médicis chez Bonjean, à Orgeville tout près de Paris ; Bichet prépare l'agrégation de lettres à Paris.

2. Sa femme était morte en couches et l'enfant n'avait pas survécu.

3. Henri avait trouvé un poste de rédacteur à *Paris-Journal* où il tenait un courrier littéraire depuis le 9 mai 1910.

— Guinle part demain pour la Pologne ; le malheur est
qu'il ne voit pas autre chose là-dedans que panamas à acheter
et casquette à assortir avec le costume touriste. Du reste, tout
bas, tout bas, j'ai un peu peur pour lui qu'il ne soit déçu :
d'abord pas autant d'argent qu'il l'espérait ; et puis un jeune
homme malade seul dans le château, au lieu de boyards à larges épaules brutalisant des moujiks. (Il faut toujours se représenter les pays conventionnellement.)

— Walel est reçu 1er à l'agrégation de philosophie et surtout
Pons, 1er à l'agrégation d'anglais, et Vigier 2e.

— Un mot de Léautaud, que Henri, qui le trouve formidable, me prie de t'écrire : on demandait à Léautaud, attaché au
Mercure et qui n'écrivait plus beaucoup : « Qu'est-ce que
vous faites ? Vous êtes très pris ? » — « Je m'amuse à vieillir,
répondit-il, c'est une occupation de tous les instants. »

— Henri et moi avons lu, comme on lit du Péguy, *Notre
Jeunesse*. C'est admirable ; Henri dit que lorsqu'on est à la
dérive, perdu dans des subtilités, il faut ouvrir ce bouquin-là
et le lire tout haut ; il y a une page, ô Rivière, contre ceux qui
ne veulent pas prendre part aux élections, — à la lecture de
laquelle on sent, se hérisser d'aise... (le bonnet à poil, etc.).

— Cri soudain d'Henri : Ah ! que je voudrais être à
La Chapelle !

— Il fait très chaud, mais par-dessus Paris nous sentons le
vent.

Je suis très simplement et profondément abruti — (Aussi
a-t-il revêtu le costume d'officier de réserve).

                                                        R.B.

— Si tu viens cette semaine, comme on m'en laisse entre-
voir l'espérance, dis-moi quand.

Septembre 1910 [4]

Ne sachant pas où est Jacques Rivière, j'ignore où est
Madame Anne Lauroy ; tu lui transmettras mes félicitations ;
le *Présent du Vainqueur*, avec une influence du comte Villiers
de l'Isle-Adam, est tout à fait remarquable, et j'en goûte beaucoup la discrète mesure, à mi-côte entre les compromis du
journalisme et... autre chose de mieux.

4. Ce billet qu'il est difficile de rattacher à une lettre précise fait allusion à un conte « moche » disait l'auteur, écrit par Isabelle sous le nom
d'Anne Lauroy et qui avait paru dans *Paris-Journal*.

56.

Fournier à Bichet

La Chapelle, 22 août 1910

Je te félicite, nous te félicitons, ils te félicitent, mon sacré petit prodige [1].

Je pense bien qu'à présent, tu vas te mettre au travail.

Où es-tu ? Et que deviens-tu ? Ton adresse ?

J'écris à la fenêtre de ma chambre devant un grand paysage — bouchures, chaumières, peupliers et petits prés au bord du ciel.

Je pensais aller à Nançay, en Sologne, à 20 kilomètres d'ici, chez mon oncle Florent. Mais il tombe à chaque instant de grosses pluies très brèves et très violentes d'orage.

Je travaille depuis deux jours à mon livre [1] — simultanément à la partie d'imagination pure et de construction fantastique — et à la partie humaine très simple et faite de souvenirs. Il se pourrait à la fin que mon premier livre se réduisît à la première, déjà très suffisamment avancée.

---

1. René Bichet avait été reçu 1er à l'agrégation de lettres.
2. *Le Grand Meaulnes*.

Je te quitte pour sortir. Cette affreuse écriture te donne une image de ma fatigue.

Ta main.

Henri.

57.

Bichet à Rivière

1-9-1910

Vieux Jacques,

Je me repose chez moi d'une obscure fatigue qui m'empêchait et m'empêche encore un peu de travailler longtemps ;
étant très seul je vis à ma guise ; courses dans les champs qui
maintenant, toutes moissons finies, sont vides et sans couleur ; batteuses dans les cours de fermes ; bois maigres. Je ne
lis presque pas ; j'ai simplement relu *L'Éternel mari* [1] et laissé
les autres Dostoïevski pour cet hiver ; mais j'ai la Bible, que
je commence à mieux connaître, et je puis lire l'*Orestie* dans
mes éditions d'Henri Estienne, 1567 (trouvé sur les quais ce
petit bouquin relié de parchemin blanc).

J'ai repris mes vieilles ébauches d'*Orphée* ; j'en ai actuelle-
ment sur pied une vingtaine de pages du format de la
N.R.F. ; lentement, sans enthousiasme, je voudrais au moins
avant octobre faire la fin, qui est le plus facile, et laisser de
côté simplement un très long chant qui formerait le milieu et
dont je ne peux me sortir. Je ne sais trop si j'aurai le temps
d'avancer si loin. J'ai également une quinzaine de pages d'un
Livre de l'Amour qui serait à publier en même temps et dans

---

1. *L'Éternel mari* de Dostoïevski. Roman paru en 1870.

le même volume qu'*Orphée*. Mais au fond tout ça me
dégoûte ; j'en parle comme de quelque chose d'extérieur, ne
m'appartenant pas ; et pourtant je m'y remets chaque matin,
de huit heures et demie à dix heures et demie (heure de *Paris-
Journal*). Donc ne m'injurie pas trop ; ce n'est déjà pas si mal,
d'avoir commencé une semaine à peine après l'agrégation.

Maintenant, il faut que tu m'écrives (Henri ne m'écrit pas,
mais je ne m'en étonne pas) et que tu me donnes aussi des
nouvelles de Lhote. Je n'ai rien reçu de personne, depuis dix
jours, que des cartes de félicitations — et une lettre de Bernès
toute pleine de conseils pratiques et d'allusions à ma « pro-
duction littéraire » dont il a entendu parler « sans la connaître ». J'ai su, par un ami de Berlin à qui j'avais adressé
Guinle, qu'il était arrivé à Posen « après de multiples
aventures ».

A titre de renseignements : ma leçon sur cet infâme Cicéron
que je n'avais jamais lu a été la meilleure de toutes : 8,50 sur
10.

Et voilà. Peut-être que je suis idiot, mais sûrement je ne
suis pas gaspilleur de papier : reconnais cette simple feuille.

Amitiés à Madame Rivière et à toi.

                                                    R.B.

de Pithiviers 1er sept. 1910

58.

Fournier à Bichet

Dimanche soir, 11 septembre 1910

Mon cher ami,

C'est surtout à cause de certain passage de ta lettre qu'il faut que je te réponde : le passage sur « les choses insolubles » [1].

A mon avis la solution est simple bien que terriblement pénible : du moment que tu as des doutes et des hésitations, du moment que la chose n'est pas claire et simple comme l'eau, il faut en finir tout de suite, il faut se guérir, il faut penser à autre chose.

Crois-moi, quand le véritable amour vient, il n'y a pas une hésitation, pas un doute.

Je puis, pour cette fois, me donner un peu comme exemple. Mais ne crois pas que « je trouve tout plus simple que toi ». Je trouve tout au contraire terriblement complexe et il n'y a peut-être personne au monde de plus tourmenté que moi. Ce n'est qu'en paroles et en actes que j'ai l'air *décidé*, comme on dit à la campagne. Mais ma pensée profonde est un enfer où je rumine.

1. Sans doute cette lettre est-elle perdue, mais nous savons par les confidences de Bichet à Rivière qu'un « grand amour (était) venu » à lui aussi (voir lettre 24, du 19-09-1908).

Cependant tout est fini entre Jeanne et moi. Nous avons réussi à nous dégrafer l'un de l'autre. Elle a repris sa vie d'autrefois.

Ce fut, de sa part et de la mienne, un sacrifice affreusement pénible. Car nous nous aimions. Elle avait tout quitté pour moi et elle ne se fatiguait pas de mes cruels reproches, de ma cruelle insatisfaction, de mon cruel désir de pureté.

Un jour, dans un de ces accès de demi-somnambulisme comme il lui en prenait quelquefois après mes reproches, la nuit, elle a fait le simulacre de m'écrire une lettre, une lettre qu'elle ne pouvait se décider à écrire tant elle lui faisait de mal. Elle disait :

« Puisque vous me laissez, je retourne avec l'autre. Je ne vous ai jamais aimé. » Et elle pleurait.

Or c'est à peu près ce qui vient de se produire dans la réalité. Pour la sixième fois, je crois, je l'ai abandonnée, mais cette fois près de trois semaines et j'ai lutté comme un damné, malgré ma solitude et mon ennui, pour ne pas la revoir ni lui écrire.

Peut-être aurais-je faibli à la longue, mais elle a fait à la fin ce que je souhaitais qu'elle fît, car autant que moi, peut-être, elle avait le goût de l'irréparable et d'un certain héroïsme.

En ce moment, je suis à la fois satisfait et désespéré.

Je me rappelle qu'un soir, lorsque j'étais enfant, après m'être longuement appliqué à un devoir difficile, j'avais fait sur ma page une vilaine tache. Et je me disais : « Ma foi, j'aimerais autant que mon père la déchire, quand il verra cela, et je recommencerais... »

Mon père est venu et, comme je l'avais souhaité, il a déchiré la page. Alors ça été une crise de sanglots, un désespoir inconsolable.

Tel est, en ce moment, mon genre de satisfaction et ma vie est faite d'anecdotes de ce genre.

J'ai toujours demandé aux circonstances un peu d'aide pour ma faible volonté. C'est peut-être la véritable sagesse pour de faibles hommes comme nous.

Mais maintenant au milieu de ma désolation, quelle joie secrète, quelle victoire, quelle sensation de renouveau.

Je viens de lire dans Suarès : « Je n'ai point encore vu en Italie une femme vraiment séduisante, je dis une Italienne. Beaucoup de beautés bêtes ou très charnelles : pas une qui induise en passion. Pas une femme longue, souple, aux seins menus, au teint de fleur, aux cheveux d'herbe solaire et d'or changeant. Une foule de dahlias et de fortes roses rouges : pas un narcisse, pas un grand iris féminin, ou l'un de ces œillets qui mettent du délire dans les rêves et qui, je crois, rendent folles les roses elles-mêmes.

Un grand iris féminin... Tel était, tel est bien mon amour ; celui qui ne se trompe pas, celui qui ne vous laisse pas hésiter, qui dit : c'est moi, et à qui l'on répond : c'est vous. »

Lhote à qui j'ai dit, entre autres choses, à peu près ce que je te dis, me plaint ainsi que « la pauvre Jeanne ». Que c'est triste, dit-il, de ne pouvoir gaspiller tout son amour, toute sa jeunesse[2]. »

Mais comment pourrais-je gaspiller l'amour tandis que, quelque part, ma femme m'attend si anxieusement, si ardemment.

Tu sais que Marguerite a été malade, après la mort de sa sœur. Jacques m'écrit qu'il l'a vue, défigurée par la douleur. C'est bien.

Lhote a fait deux grands nus qu'il intitulera « Nus devant le Fleuve ». Il y a une baie d'où deux grandes femmes peuvent voir les mâts des navires qui rentrent au port. Il paraît que nous aimerons cela.

_____

2. Cette lettre non plus n'a pas été retrouvée.

J'avoue avoir choisi pour t'écrire un moment de vide et de fatigue. Le moment que tu choisissais pour me venir voir quand tu préparais ta place de premier agrégé.

Je travaille en effet terriblement à mon livre. Aux moments les plus durs, je luttais des heures pour avoir le calme et je me mettais au travail.

Il n'y a pas plus de cinq jours que j'ai trouvé enfin, comme dit ma mère, mon chemin de Damas. C'était très simple mais il fallait y penser. Je me suis enfin délivré de tout et depuis ce temps, il faut croire que la formule est bonne, puisque je ne cesse d'écrire (j'ai retrouvé ma phrase, ma phrase voluptueuse [3]).

Mon Intérimaire de *Paris-Journal*, que vous trouvez tous idiot a su maintenir le *courrier* à peu près au taux de 150 F par quinzaine. C'est un résultat remarquable et c'est tout ce que je lui demandais.

Écris-moi. Je n'ai pas de livre à t'envoyer. J'ai passé *Jeanne d'Arc* et *Notre Jeunesse* de Péguy à Jacques. J'ai lu ces deux bouquins d'enthousiasme et d'une haleine. Les deux sont également *admirables*. Je vais écrire à ce bonhomme [4].

---

3. Lettre à Jacques Rivière du 20 septembre 1910 : « Pendant quinze jours je me suis efforcé de construire artificiellement ce livre comme j'avais commencé. Cela ne donnait pas grand-chose. A la fin, j'ai tout plaqué et, à ce que dit maman et à ce que je crois, j'ai trouvé *mon chemin de Damas*, un beau soir. »

4. La première lettre d'Alain-Fournier à Péguy date en effet du 28 septembre 1910 (voir correspondance Péguy-Fournier. Fayard, 1973) : « Je veux employer ma dernière heure de vacances à vous dire simplement combien j'aime vos livres » (p. 15).

Je me mets à ma note sur Marg. Audoux [5].

Bien à toi.

Henri.

P.-S. As-tu des nouvelles de Guinle. Je vais lui écrire un mot, surtout pour éviter qu'il envoie des cartes rue Chanoinesse [6].

---

5. Le compte rendu de *Marie-Claire* de Marguerite Audoux par Alain-Fournier paraîtra dans le n° 33 de la *N.R.F.*, p. 616 (novembre 1910).

6. Rue Chanoinesse, c'est-à-dire chez Jeanne, avec qui Fournier avait rompu.

59.

Bichet à Rivière

Pithiviers, 30 septembre 1910

Cher vieux Jacques,

Je sais très bien que je suis bête et crétin, et un pauvre garçon méprisable ; mais ce n'est pas une raison pour que tu ne
m'écrives pas le moindre mot ; je ne sais même pas où tu es,
et j'adresse ceci rue Cassini en désespoir de cause. Tu me verras, bientôt ; le recrutement va m'envoyer ma lettre de service [1] ; je tâcherai, si je suis averti assez tôt, de passer deux
jours à Paris et d'aller au Salon d'Automne (et à ce propos,
Lhote ? a-t-il envoyé quelque chose ? ou s'il n'a pu
travailler ?).

Je viens de Moret-sur-Loing, où un notaire que je croyais
voué aux traductions d'Horace m'a demandé ce que je pensais
de *Boris* [2] et m'a joué le début de *Salomé* [3]. La forêt de Fontai-

---

1. Il semble que Bichet ait dû accomplir une deuxième année de service
militaire pour laquelle il avait sans doute obtenu un sursis afin de passer
son agrégation. On le voit en effet militaire à Rouen jusqu'à l'année
suivante.

2. *Boris Godounov* opéra de Moussorgski, représenté pour la première
fois en Russie en 1874, venait d'être présenté à Paris...

3. *Salomé*, opéra de Richard Strauss représenté à Paris en 1907.

nebleau est admirable maintenant ; toute rouge par endroits,
et sinon, d'un vert plus profond qu'en été ; rien ne m'a fait
mieux comprendre certaines amours de Suarès, et certaines
phrases du Condottiere sur les villes ardentes. En rentrant,
j'ai relu ce qu'il dit de Venise : « Et souvent amarrée aux dalles d'une rive, plus usées et plus lisses qu'une semelle de marbre, la barque au soleil est un berceau de mélancolie. Les gros
coussins de la gondole gardent les formes de la jeune femme
qui visite, à deux pas, un palais ou une église. Le bois noir
luit d'une chaleur vivante ; et les mains de cuivre font un
signe secret, que le miroir du canal interprète d'un sourire, et,
mystérieux, comprend... »

J'ai écrit les vingt environ poèmes (en prose) qui font le
Livre de l'Amour ; ce serait à peu près, avec les blancs, une
quarantaine de pages de la *N.R.F.* ; il y en a dont je suis assez
content parce qu'ils sont venus brusquement, en bloc, dans
toute leur étendue, et d'autres trop travaillés au contraire ;
dès que je travaille, en ce moment, le résultat ne vaut rien de
rien. J'ai amorcé aussi quelques nouvelles choses pour
Orphée.

A Rouen, je trouverai de la musique, Dieu merci ; il y a un
Théâtre des Arts, paraît-il, où l'on a chanté passablement
Siegfried, et l'on me présentera à des individus qui prêchent
aux Rouennais *Boris*.

Sais pas de nouvelles de Guinle — ni de Henri, ni de
personne.
A bientôt.
Je salue votre retour à tous dans Paris [4].

R.B.

---

4. Henri rentre à Paris le 29 septembre et reprend le Courrier littéraire
de *Paris-Journal*. Jacques et Isabelle s'installent 15, rue Froidevaux.

60.

Rivière à Bichet[1]

Paris, 4 octobre 1910

Mon vieux,

Pardon, ce n'est pas parce que je te trouve crétin, mais parce que je n'ai pas le temps, depuis que je t'ai quitté agrégé imminent et dissimulé, sur le quai de la gare d'Orsay.

J'ai passé un mois d'abrutissement qui ne compte presque pas dans ma vie. Le reste du temps j'ai un peu travaillé à mon livre. Il est assez avancé.

Depuis que je suis entré ici, j'ai beaucoup couru pour pas grand-chose. Nous avons obtenu de Druet quinze jours de sursis pour Lhote [2] — lequel est de retour à Orgeville.

Tronche est toujours dans un état excessivement inquiétant. Il vit seul dans son appartement, et quand on arrive, on le trouve en larmes ou agité de tremblements nerveux qui font peur.

Nous essayons de le distraire le plus possible. Mais son désespoir est si nu qu'on n'a sur lui aucune prise.

---

1. Cette lettre de Rivière à Bichet comporte un important post-scriptum de Fournier.

2. Lhote préparait une exposition chez Druet. Il en sera rendu compte par Jacques Rivière dans le numéro 24 de la *N.R.F.*, pp. 806-808 (novembre 1910).

Travaille bien, mon petit. Ne te paie pas d'excuses. Avance les choses. Et méfie-toi d'être paralysé par ton passé. Je veux dire : Ne te laisse pas conduire pas les formes que tu as créées, mais uniquement par ce que tu as à exprimer.

Henri a repris *Paris-Journal*. Ça va. Gérault-Richard trouve que le courrier est très bien ; il souhaite seulement qu'on écoute un peu plus la *Revue des Deux Mondes*, de Paris, etc.

Ceci n'est pas une lettre, mais un mot pour te dire que tu n'es pas uniquement un crétin.

Nulle nouvelle musicale.

Nous n'allons que demain (avec Gide) au Salon d'Automne.

Allons, mon vieux, fais oublier *tes torts* par beaucoup d'amitié.

Je te serre la main avec sincérité.

Jacques.

Je ne t'ai pas récrit, parce que je n'ai rien de plus à te dire, sur ce qui a fait l'objet de mes lettres pendant ces vacances. Il faut avoir *ce courage*, voilà tout.

Je suis allé au Salon d'Automne, le jour du vernissage. Triomphe d'Othon Friesz. Girieud, abstrait. Matisse, de grands dessins sans couleur.

Il est trop tard. Je ne sais pas ce que j'écris. Je suis fatigué. J'ai lu avec une émotion profonde *Lucien Leuwen* de Stendhal.

Suarès est marié depuis longtemps avec une femme blonde, grosse, intelligente et gaie. C'est un homme petit, brun, de raides cheveux noirs, coléreux, une voix de Chapelle Sixtine.

La *Partie de Plaisir* est parue dans *Schéhérazade* [3] : avec des fautes d'impression qui la rendent imbécile et incompréhensi-

---

3. *La Partie de Plaisir*, essai de Fournier qui a été repris dans *Miracles* en 1924 et qui parut là pour la première fois dans une petite revue éphémère.

ble. Alors je suis fâché à mort avec tous ces gens de *Schéhérazade*.

J'ai lu l'autre jour un passage de mon livre à Tronche qui a été révolté par sa cruauté. Ma mère, quoique scandalisée, l'aime.

Personne ne peut savoir à quel point j'ai été cruel avec les femmes que j'ai aimées. Elles ne comprenaient pas que je souffrais plus qu'elles de ma cruauté, de cette pitié affreuse qui me prenait d'elles. Elles ne comprenaient pas que je voulais *tout* avec rapacité ; l'amour après quoi plus rien n'existe ; après quoi on met le feu aux quatre coins du pays.

L'amour que j'ai connu et que j'ai perdu. « Certains d'entre nous ont connu Antigone dans une autre existence et aucun amour humain ne peut les satisfaire. » Tel est le sujet de mon livre.

Henri.

61.

Fournier à Bichet

16 février 1911

Monsieur le Directeur [1],

Nous sommes surpris, mes collègues et moi, de voir que *Paris-Journal* accorde, de jour en jour, moins d'importance à son courrier littéraire.

J'ai cru pouvoir prendre la liberté de vous faire savoir que ce courrier est, avec votre chronique de première page, un des principaux éléments d'intérêt de votre sympathique journal.

Il serait donc regrettable de le voir disparaître.

Mon éminent collègue Émile Moselly et moi nous y avons puisé souvent de précieux renseignements.

Veuillez excuser, Monsieur le Directeur, la liberté grande que j'ai prise de vous faire cette requête et veuillez me croire

Votre respectueusement dévoué.

R. Bichet (*signature ordinaire, c'est-à-dire
assez illisible*)
Agrégé de l'Université
rue — numéro (très nets) — *Rouen*

---

1. Il s'agit là d'un modèle de lettre que Fournier demande à son ami d'adresser au directeur de *Paris-Journal*, Gérault-Richard. Alain-Fournier se plaignait que son Courrier soit truffé de publicité et parfois écourté. Il espérait que l'avis des lecteurs inclinerait la rédaction à respecter davantage son travail.

Voilà, mon vieux, la lettre que je te prie de vouloir bien adresser dès demain à Monsieur Gérault-Richard, directeur de *Paris-Journal* — 50, rue Notre-Dame-des-Victoires — Paris, demain, c'est-à-dire vendredi.

A condition cependant que le courrier demain soit encore court.

Dans le cas contraire tu attendrais pour envoyer cette lettre, une période de courriers courts comme celle de cette semaine.

Il va de soi aussi, que tu pourras modifier dans cette lettre ce que bon te semblera. Je l'ai faite du point de vue journal. Tu pourras la refaire du point de vue professeur. Il y a peut-être des puérilités.

Il ne faut pas parler, en tout cas, de régiment [2], mais donner l'impression que tu es professeur à Rouen.

Pour prix de toute cette peine, tu recevras un cadeau dont l'importance variera avec le degré de réussite de notre combinaison. Dès maintenant, merci.

P.S. : Une condition encore c'est que tu ne sois pas le seul habitant de Rouen à lire *Paris-Journal*. Informe-toi.

Je travaille.

Lhote me fait pour *Le Miracle de la Fermière* une paysanne qui fait chauffer son enfant et une voiture arrêtée devant des barrières (ce sont des épisodes du miracle).

Je lis *Le Rouge et le Noir* qui augmente en moi la passion des romanesques aventures.

Je vais voir cet après-midi Lévy et Péguy.

J'ai quitté Jeanne il y a huit jours, sans brusquerie, avec amitié, mais dans un sursaut de jeunesse qui était peut-être un sursaut de pureté. Depuis ce temps je marche à travers la ville comme un jeune dieu.

Jusqu'à quand ?

Henri.

---

2. Nous avons vu que Bichet faisait donc une année de service militaire, à Rouen.

P.S. : Je lis dans une de tes lettres que Gide t'a promis la publication *intégrale* du *Livre de l'Amour* [3] au risque d'attendre un peu. Il ne faut donc pas trop te fâcher.

---

3. Ce poème paraîtra le 1er mars 1911.

62.

Fournier à Bichet

Samedi 18 février 1911

Je reçois à l'instant ta lettre.

Puisque le courrier était encore un courrier *court*, puisqu'il n'avait pas 70 ou 80 lignes, il fallait écrire, voyons ! Tu peux dire que je suis fâché contre toi.

Il était absurde d'attendre à un samedi pour le faire, la lettre arrivant un dimanche, jour où les directeurs ne voient pas eux-mêmes leur correspondance.

Il est probable maintenant que lundi ou mardi le courrier sera long, ce qui rompra cette série malheureuse et rendra pour un temps ta démarche injustifiable.

Je comptais beaucoup sur cette lettre (Gérault ne fera d'ailleurs qu'y jeter un coup d'œil et la mettra au panier) après le courrier d'aujourd'hui fait de *On annonce* et *Vient de paraître*.

Mais vous êtes tous les mêmes : dès qu'il s'agit de faire un geste qui ne soit pas absolument égoïste, toutes vos hésitations et toutes vos timidités commencent.

Henri.

HENRI ALAIN-FOURNIER

Rédacteur à *Paris-Journal* et à *La Grande Revue*

2, rue Cassini

63.

Fournier à Bichet

Mardi 22 février 1911

C'est vrai que j'ai été bien méchant. C'est vrai que je suis bien méchant. Et que je ne voudrais pas l'être [1].

Notre combinaison a bien réussi, moralement, si je puis dire. Mais y aura-t-il un résultat matériel ?

La réponse de Gérault est, en tout cas, bien amusante.

On a donné aujourd'hui quelque chose sur *Soléa dans le courrier des théâtres*. Je renonce donc à faire passer ton écho, d'autant plus qu'il va falloir à partir d'aujourd'hui que je me consacre à Copeau [2].

A dimanche, vieux bonhomme.

Henri.

---

1. On ne sait à quoi exactement Fournier fait allusion. Peut-être s'agissait-il d'une réaction orale à la lettre précédente qui se terminait sur une phrase cinglante à l'égard de ses amis en général.

2. Fournier fournissait à Copeau des notes qui lui servaient à alimenter dans la *N.R.F.* la rubrique : *Revue des Revues*. Il souhaitera même se charger carrément de la rédaction de ce poste, mais on ne le lui confia jamais. Fournier agaçait Gide et ses échos dans *Paris-Journal* furent souvent l'occasion d'incidents assez vifs entre eux.

Ton Livre d'Amour [3] ne paraîtra pas encore dans le prochain numéro. On est obligé de faire passer des poèmes de Fargue, parce qu'ils font partie d'un livre à paraître incessamment.

Et puis Gide dit qu'il veut te donner une meilleure place qu'il n'eût pu le faire dans ce numéro.

Voici la carte que je joins à cette lettre pour tâcher d'obtenir l'insertion. Si nous n'y réussissons pas, nous en resterons là. Mais il est de fait que le droit de réponse et de rectification est le droit le plus absolu [4].

H.F.

HENRI ALAIN-FOURNIER

serait très reconnaissant à Monsieur le rédacteur en chef de vouloir bien insérer cette lettre.

Au cas où elle ne serait pas publiée, le père et le frère de René Bichet exigeraient dans les formes légales la rectification que nous attendons aujourd'hui de votre impartialité et de votre constant souci d'exactitude.

H.F.

3. Le poème est bien paru dans le numéro de mars.
4. Nous ne savons de quelle rectification il s'agit.

64.

Bichet à Rivière

Rouen, samedi 29-07-1911

Mon cher Jacques,

Je choisis, moi : *Novus non desinit evadere rivus* [1] — parce que, comme tu dis, *Rivus* rappelle ton nom, parce que l'ordre des mots est excellent, et que, avec *evadere*, la phrase se rapproche de l'allure de l'hexamètre.

Merci de me promettre un *Gide*, et compte sur moi pour faire acheter autant que possible.

Je suis horriblement fatigué par la chaleur et ne puis rien faire ; je me suis mis aujourd'hui à la lecture d'*Étienne Mayran*, le roman inachevé de Taine qu'on a publié l'année der-

---

1. Devise que Rivière voulait adopter pour un ex-libris qu'il avait demandé à Lhote de lui dessiner. Dans une lettre du 25 juillet, Rivière proposait à Lhote le choix entre deux formules : « Novum fieri non desinit flumen », ou « Novem evadere non desinit flumen » dont il donnait la traduction suivante : « La Rivière ne cesse de devenir nouvelle ». Bichet choisit une troisième solution avec « rivus » au lieu de « Flumen ». Cet ex-libris, pas plus que celui que Fournier lui avait demandé également, ne sera jamais réalisé par André Lhote, du moins à notre connaissance.

2. *Étienne Mayran*, fragment d'un roman inachevé (1861) publié à Paris en 1909, puis en 1910 chez Hachette avec une préface de Paul Bourget.

nière ; mais c'est mort, froid, concerté — une vie d'enfant-philosophe, avec des ambitions de ressembler tantôt à Flaubert et tantôt à Stendhal. Je suis très dégoûté. Un avantage seulement sur toi, c'est que la guerre ne m'inquiète *plus* : avant-hier, tout le monde ici s'attendait à partir avant la fin de la semaine, mais de nouveau tout s'est calmé.

Amitiés à tous.

Ton

R.B.

65.

Bichet à Rivière

3ᵉ Corps d'Armée
Réunion des Officiers
Place de Rouen

Rouen, le lundi 4-09-1911

Mon cher Jacques,
Je suis à peu près sûr maintenant d'être libéré le 16 ou le 17, et de passer quelques heures à Paris ; pourrai-je te voir alors ? Je vais partir aux manœuvres, samedi, à moins que les manifestations de Saint-Quentin, qui ont déjà dégarni Rouen de deux régiments, ne les fassent supprimer. J'attends ton article [1] — très important encore une fois.
Viens de recevoir de Luz un mot de Henri [2]. Suis las et bas. Bonne santé chez toi, indeed ?
Ton

R.B.

---

1. Sans doute l'article sur André Gide paru en octobre-novembre 1911 dans *La Grande Revue*.

2. Luz-Saint-Sauveur où Henri, en période militaire, profitant d'une permission, était allé rendre visite à Alexis Léger (le futur Saint-John Perse). Voir le compte rendu détaillé de cette visite par Henri lui-même dans une lettre à Jacques Rivière du 9-09-1911 (JRAF II 400-402).

66.

Bichet à Rivière

Pithiviers, dimanche 17-9-1911

Mon vieux Jacques,

Ton petit mot m'arrive à Pithiviers, où je suis depuis hier soir et où je passe quelques jours avant de partir pour l'Orient ; il serait triste que nous nous disions adieu de loin, et je m'annonce pour samedi prochain — je ne puis dire à quelle heure, mais soit vers onze heures du matin, soit après le déjeuner, car je dois prendre le train à 5 h 15 gare de l'Est.

Je suis fatigué des manœuvres. Je n'ai que cinq jours pour préparer ma première leçon. Je n'ai pas encore eu le temps de lire le *Portrait d'Alain*.

A samedi. Guinle m'a dit que ta femme souffrait d'une légère phlébite ? Dieu merci, ces choses-là sont longues mais bénignes.

R.B.

Monsieur Jacques Rivière
15, rue Froidevaux
Paris

67.

Fournier à Bichet

Ensouset, par Encausse, Gers, 17 septembre 1911

Mon Cher Petit,

Je pense que tu mènes, en ce moment comme moi, la dure vie des manœuvres.

Je profite d'un jour de repos dans une petite maison perdue au bord des bois, comme celle de Jean-le-Rouge [1], pour te donner enfin l'opinion de ce paresseux de Péguy sur ton drame.

Il m'a dit : « Eh ! bien, ça va, ça va très bien ! » De ce ton qui signifie : « C'est un des nôtres. Il n'y a pas besoin d'en dire plus. L'effort qu'il fait est bon. Il tire bien sur notre corde. »

« La seule chose qui me gêne, a-t-il dit, c'est exactement comme chez Claudel, ce mélange et cette espèce de confusion entre le profane et le sacré. »

---

1. Jean-Le-Rouge est l'un des personnages de *Marie-Claire* le roman de Marguerite Audoux. Il habite une petite maison sur la colline dont il est chassé par les nouveaux propriétaires de la ferme. Alain-Fournier développe la description de cette maison dans une lettre à Rivière du 13/09/1911 (JRAF II 406).

Il y aurait là-dessus beaucoup à répondre et pour Claudel et pour toi. Mais Péguy n'écoute guère.

D'ailleurs il a vite laissé cela pour me montrer comment certaines montées lyriques chez toi étaient au moins aussi belles que celles de Claudel.

Puis il a dit qu'il fallait beaucoup attendre de toi.

C'est mon avis, tu le sais.

Je te serre la main.

H.F.

68.

Bichet à Rivière

3e Corps d'Armée
Réunion des Officiers
Place de Rouen

Rouen, le mercredi 22-09-1911

Mon cher Jacques,

Ne pourrais-tu pas, si ton livre de critique [1] ne doit paraître qu'après la rentrée, disposer pour moi d'un exemplaire de ton *Gide* — le moins bien copié naturellement ? On m'a demandé, pour l'Université de Budapest [2], de consacrer quelques leçons — les 10 premières sans doute — à la littérature française contemporaine, j'y voudrais parler des directions générales qui se font sentir après le symbolisme, et Gide et ton article me seraient d'une grande importance, car je ferais de l'évolution de Gide le schéma même de l'évolution des esprits. Ce serait d'ailleurs admirable, pour mon premier cours, de citer Clau-

---

1. *Études* de Jacques Rivière paraîtra le 20 décembre 1911. Ce recueil réunit les principaux articles publiés par Rivière jusqu'à ce jour dont celui sur André Gide paru dans la *Grande Revue* du 25 octobre et du 10 novembre 1911.

2. Bichet venait d'être nommé professeur de français à l'université de Budapest.

del, Suarès, Péguy, Jammes, et de lire aux Hongrois *Charles Blanchard* [3] ! Je prévois là-bas une vie possible : Suzanne Desprès en novembre (et ils l'admirent plus que toute autre) beaucoup de concerts — un goût intelligent pour Cézanne, Gauguin et Van Gogh —, et la possibilité, peut-être, de voyager gratuitement sur tous les chemins de fer hongrois. (Note : les trois indigènes que j'ai vus lundi à Paris lisent la *N.R.F.* Je vais, puisqu'on m'ouvre des crédits, faire acheter à la bibliothèque d'Eötvös les éditions de ladite *N.R.F.*, et d'abord le livre de Jacques Rivière.)

Réponds-moi un mot, veux-tu ? Si tu écris à Gide, dis-lui que je me range à ton opinion ; depuis hier, bien que rentré à Rouen à minuit et parti pour la manœuvre à minuit et demi, j'ai échafaudé presque tout le premier acte d'un autre drame.

Bien à toi.

R.B.

Je crois que j'aurai 800 couronnes de plus qu'on ne m'avait dit, soit 5 600.

---

3. *Charles Blanchard*, roman de Charles-Louis Philippe.

69.

Bichet à Fournier et Rivière

Monsieur Henri Fournier
2, rue Cassini, Paris, 26-09-1911

Mes chers Henri et Jacques [1],
En attendant mieux, et pour vous montrer que je me moque de casquer 2 sous (d'autant plus, il est vrai, que je viens de toucher 400 F *pour le mois de septembre*) : ceci derrière est à peu de chose près ce qu'on voit du collège. Vous raconterai ce que j'ai aperçu pendant ces 36 heures de train : villages aux mille églises, femmes en bottes labourant, femmes en courte robe rouge gâchant le mortier ; la montagne toute proche aux environs de Salzbourg, le soleil levant aujourd'hui sur le Danube, etc. Je crois qu'au collège ça ira. Je viens de faire acheter des Gide (et à ce propos j'ai une histoire bien formidable que je vous dirai par lettre fermée), des Suarès et des Philippe ; vais m'abonner à la *N.R.F.* Jacques devrait me dire un de ces jours ce que coûte l'abonnement aux *Cahiers* ; je suis assez riche pour penser, en décembre, aller vivre 15 jours à Rome ! Bien à vous tous.

R.B.

---

1. Première carte de Hongrie envoyée par Bichet à son arrivée à Budapest.

70.

Bichet à Rivière

Budapest, Collège Eötvös,
I, Ménesi-Ut, 11, 9-10-1911

Mon vieux Jacques,

On peut dire que pour l'heure je suis content ! Je suis tout abêti des choses que j'ai vues depuis une semaine. D'abord cet interminable voyage, 36 heures de Châlons à Pesth : et la première impression avant tout, à la gare allemande d'Avricourt, d'entendre une langue nouvelle et de voir des tuniques rouges à boutons blancs, des casquettes vertes, des moustaches de pirates, puis, le lendemain matin, au réveil, c'était la plaine d'Ulm, avec des labourages de bœufs grotesquement attelés comme des chevaux (qu'on aurait dit, avec leur sousventrière, des capitaines de pompiers ayant le ceinturon) et des villages idiots, à petites fenêtres bien alignées, à églises carrées ; puis Munich, où ils ont tous ce petit chapeau des dessins de Hansi, en feutre et à cocarde ; puis le plus beau, les environs de Salzbourg, entre fleuve et montagne, les nuages accrochés à un peu de sapins, le soleil couchant dans l'eau ; et enfin, le lendemain encore, au sortir d'un village hongrois, après une gare enfouie sous la vigne vierge, après des files de paysannes bottées partant pour la vendange, après ces mai-

sons à colonnades et ces vignes étagées, j'ai vu le petit jour
rose dans le Danube.

Maintenant, il y a Budapest. Ce n'est pas une ville, et le
parapluie de Romains y perdrait sa vertu ; les maisons se
plantent, dans ces quartiers neufs où j'habite, au hasard, sans
se rapporter, comme dans une vraie ville, à un centre ; la
place ne manquant pas, il y a des jardins grands comme des
champs, et une montagne entière sans habitation, où l'on
monte au soleil couchant pour voir trois lieues de fleuve et un
cercle de plaine terminé par de longs coteaux. Il y a des cafés,
kavéhaz, modernes, idiots, trop élégants ; mais quand je des-
cends Ménesi-Ut pour aller en ville, je vois sur un échafaudage des femmes en robes rouges et en bonnets violets, nu-
pieds, qui gâchent le mortier en chantant toujours sur la
même note. J'ai entrevu, du train, des campagnes aussi bien
extraordinaires ; demain, s'il fait ce même soleil d'aujourd'hui, tout le collège va excursionner en montagne.

Comme professeur, je n'ai autant dire rien à faire : douze
heures par semaine, qui se passent en lectures ; je leur fais
apprendre « Green » et leur explique *Dominique* [1] ; à la bibliothèque j'ai commandé des Philippe, et allongé sur mon divan
de cuir je lis le *Père Perdrix*, qui vaut d'ailleurs cent fois
mieux que tout ce que j'ai lu de lui jusqu'ici. Je me suis mis à
travailler ; j'ai écrit deux scènes nouvelles du drame dont je te
parlais l'autre jour ; il y a des choses dont je ne suis pas
mécontent, surtout dans une scène entre le prophète et sa
jeune sœur, où je crois avoir attrapé le ton ; et j'ai mis une
longue prière alternée, en phrases assonancées qui se rappro-
chent de l'alexandrin, qui fait, je pense, une *montée* pas trop
mal réussie. Mais l'acte I est le plus facile, et le second
m'embarrasse terriblement.

Grâce à ma carte de *Comœdia*, j'entre à l'Opéra comme je
veux, et j'ai deux fauteuils à ma disposition. Entendu l'autre
soir une représentation plus que convenable du *Crépuscule des
Dieux*. Je crois que *Pelléas* est également au programme de la

---

1. *Dominique*, d'Eugène Fromentin.

saison, et en tout cas on en doit donner des morceaux dans de nombreux concerts, où bien entendu j'entrerai aussi.

Et cependant, il faut le dire, il y a une solitude ; les nouvelles de France n'arrivent qu'au bout de deux jours, et *Paris-Journal* pas du tout ; et puis, dans les rues, on n'entend que le hongrois et l'allemand. Il y a des moments où je voudrais aller partout à la fois, à Fiume que l'on m'a décrit admirable, à Rome où peut-être j'irai cet hiver, à Prague, aux Portes de Fer, et dans l'immense plaine de la Tisza ; d'autres fois j'ai un désir fou de chercher dans la ville quelqu'un qui parle français vraiment bien. Je voudrais bien que tu m'écrives ; je sais que tu ne le feras pas, mais demande à Henri de le faire ; et envoie-moi ton livre sitôt paru, et n'oublie pas que cette lettre, à toi adressée, est un hommage à tout le monde.

Ton

R.B.

Voici l'histoire curieuse à propos d'un livre d'ici : j'avais fait acheter la brochure de Gide sur Philippe [2], et la commande, selon l'usage du collège, avait été faite à Flammarion ; ce type-là ne nous a-t-il pas envoyé un exemplaire où l'on lit sur la première page :

à Jacques Copeau

son

André Gide

Qu'en penses-tu ? J'ai presque envie de faire enlever ça.

---

2. Brochure qui reproduisait une conférence prononcée par André Gide dans le cadre du Salon d'Automne le 5 novembre 1910. Ce texte avait été publié par l'éditeur Eugène Figuière en avril 1911.

71.

Fournier à Bichet[1]

En hâte, voici ce qu'il faut faire :

1°) Ma recommandation à moi, rédacteur de la Maison, aurait, je t'assure (et justement parce que je suis trop de la maison) beaucoup moins de poids que le seul exposé complet de tous tes titres à la fin d'une demande congrûment écrite.

2°) Écris donc directement à Chichet. Mais pour te faire lire, le plus sûr moyen, le seul peut-être est d'envoyer ton abonnement. Toutes les demandes adressées par un type qui s'abonne sont examinées avec une crainte religieuse. L'abonnement est de 12 F, une misère pour un type comme toi, qui n'en est plus réduit à la solde misérable des sous-lieutenants...

3°) Je ne demande pas mieux que de parler de la *Revue de Hongrie* [2], mais qu'on m'en fasse le service. C'est une des rares que je ne reçois pas. Quant à Aubry, c'est un pauvre idiot.

---

1. Carte de visite sans date et sans en-tête. Nous ne savons pas de quelle démarche il s'agit auprès de *Paris-Journal* dont le directeur était maintenant Chichet, successeur de Gérault-Richard décédé. Nous datons cet envoi d'octobre, époque à laquelle Bichet est installé en Hongrie et commence à faire des projets et surtout cherche à créer des liens avec la France.

2. Le Courrier assuré par Henri à *Paris-Journal* était alimenté par tout ce qui pouvait toucher aux lettres en France et à l'étranger, et Fournier recherchait partout des « échos ».

4°) Je parlerai de tout ce que tu voudras. Mais envoie-moi pour le courrier des tuyaux intéressants de Budapest. Je rage toutes les fois que je vois dans d'autres courriers des nouvelles curieuses de Hongrie. Je commence par utiliser ton tuyau de Sainte-Sophie dans un écho à 10 F ! A quoi te servirait-il d'être riche si tu ne venais en aide à tes frères !

5°) Péguy attend avec impatience ton abonnement (20 F et un nombre incalculable de bouquins). La série s'annonce épatante : Péguy, Suarès, Romain Rolland, Ch.-L. Philippe, etc.

6°) Je t'*écrirai*. J'attends ton drame. Ch.-H. Hirsch, mon admirateur, a cité ton *Livre de l'Église* dans le *Mercure* [3].

Ta main.

Henri.

Pour ton bouquin transylvanien redemande-moi dans un mois une adresse que je te donnerai. Envoie-moi des échos inédits sur Liszt.

---

3. *Le livre de l'Église* était paru dans le numéro d'août de la *N.R.F.*

72.

Bichet à Rivière

Monsieur Jacques Rivière [1]
15, rue Froidevaux, Paris

La réponse de Henri est incroyablement méchante et méprisante, et j'en suis très fâché.

Je te demanderais au début de décembre un service : aller à un concert d'un quatuor hongrois que je connais — ou y faire aller quelqu'un de la *N.R.F.*, et leur donner une petite note au numéro suivant. Tu comprends, toi, que je ne demande rien pour ceux dont je ne suis pas sûr. Je t'en récrirai.

Non, je ne vais pas bien. Très fatigué, et moralement très abattu. Je ne peux rien faire. Je lis la correspondance de Bossuet, si pleine d'amour et de grandeur qu'elle décourage d'arriver jamais au repos.

R.B.

---

1. Carte non datée et sans en-tête qui peut être aussi bien de 1911 que de 1912, le cachet de la poste ayant été découpé pour le timbre. On ne doit pas être loin du mois de décembre, c'est-à-dire des prochaines vacances de Bichet. Nous n'avons pas trouvé cependant dans la *N.R.F.* d'allusion à ce quatuor hongrois dont il parle ; pas plus que nous ne pouvons préciser à quelle réponse « méchante et méprisante » d'Henri Bichet fait allusion.

73.

Bichet à Rivière

Pithiviers, 31 décembre 1911 [1]

A ta fille, qui s'appelle comme la sœur de Pascal ;
— à ta femme, qui s'appelle comme la Reine très catholique ;
— à toi, qui t'appelles comme l'auteur de la Légende Dorée,
prospérité, salut et bonheur.
Et ensuite :
Je viens de lire la *Sincérité*. Je suis bien heureux d'y retrouver, différemment formulées, des idées qui étaient depuis quelque temps miennes — et dont l'une au moins s'exprime dans le IIIe acte de ma déplorable *Ascension* : cette reconnaissance et cette admission de toutes nos pensées, cette suprématie que l'esprit prend sur le mal en lui accordant sa place sur les bas degrés du grand escalier, c'est bien là ce qui peut nous donner la sérénité et la vertu dont nous avons besoin. L'éternel précepte, « ne pas se limiter », comment l'appliquer mieux, et n'est-ce pas son sens le plus *utile* ? En ce sens que

---

1. Datée de Pithiviers cette lettre de vœux fait allusion à l'essai de Rivière : « De la Sincérité envers soi-même », qui parut en janvier 1912 dans la *N.R.F.*, ce qui paraît contradictoire avec la date du 31-12-1911.

l'oubli est une lâcheté, comme le pardon est un visage hypocrite de la haine.

Seulement... Ces idées-là, chez toi, ont toute leur résonance et tous leurs entours ; chez moi, elles restent bornées, sèches, insuffisantes. Voilà pourquoi je me condamne. Tu feras ce que tu voudras de l'*Ascension*. Peut-être vais-je, en manière d'épreuve vis-à-vis de moi-même, refaire le plan de *Noël* — mais je crois bien, et sérieusement cette fois, que je ne l'écrirai pas : je suis, je pense, *sincère* au sens de Rivière, en l'affirmant.

Crois à mes bons vœux, et écris-moi à ta première minute d'indulgence.

R.B.

74.

Bichet à Rivière

Pithiviers, mercredi 26-6-1912

Tu peux, mon vieux, dire des actions de grâces à l'arroseur municipal : vois plutôt l'admirable pose de ta fille [1]. Je t'envoie deux copies, mais il est bien évident que si tu en désires d'autres...

Ici, c'est le soleil et le soleil. Les blés sont pourris de coquelicots. Il y a chaque soir un orage. Je lis les *Saints Innocents* [2]. Ton article est très bien, et j'en admettrais les dernières lignes si Henri ne m'avait fait pressentir qu'elles tombent à faux.

Écris-moi de mon manuscrit.

Je pense que je ne ferai jamais mon roman.

Je ne puis rien te dire de ce que je voudrais ; je ne l'ai pas pu déjà ces derniers jours, chez toi ; maintenant que j'ai pris

---

1. Il s'agit d'une photo de la petite Jacqueline, fille de Jacques et d'Isabelle Rivière, née le 23 août 1911.

2. *Le Mystère des Saints-Innocents* de Charles Péguy venait de paraître le 24 mars 1912 dans les *Cahiers de la Quinzaine*. Jacques Rivière en avait fait un compte rendu dans la *N.R.F.* de juin. Malgré son admiration, Rivière n'avait pu s'empêcher de trouver qu'à lire Péguy, il semblait trop simple de croire : « Je ne peux pas quitter les soucis que Péguy voudrait m'ôter, écrit Rivière [...] il est trop simple de tout supposer simple à l'avance. » *Nouvelles Études*, pp. 36-40.

l'habitude, là-bas, pour plus de tranquillité, de me masquer, je continue en France ; il ne faut pas m'en vouloir.

Mes hommages à tous.

Ton

R.B.

75.

Bichet à Rivière

Vendredi soir, 28-6-1912

Voici, mon cher, les quinze Jacquelines [1] ; je leur donne comme compagnes pour documentation, une vue du Campo-Santo de Pise où se prélasse ma noble attitude (admire ces deux cyprès-sentinelles dans le fond de la cour pleine d'herbe folle) et une de Sainte-Sophie, pas très fameuse par la tante du praticien, mais curieuse parce que prise d'une plate-forme de minaret, l'appareil posé sur la balustrade entre un tas de fientes d'« oiseaux clabaudeurs aux yeux ronds » et une lanterne qui sert aux illuminations du Rhamazan.

Excuse quelques taches çà et là sur ces épreuves. Je ne suis pas encore très malin. Et pardonne aux deux premières, que par inadvertance j'avais tirées à rebours. Ta joie me submerge ; je souhaite à ces quinze sœurs de la multiplier quinze fois.

Chaleur affreuse ici. Suis allé hier tout l'après-midi cueillir des cerises sous un soleil voilé écrasant ; aujourd'hui, ça aveugle sur les maisons et les routes crayeuses, et mes yeux fatigués ne le supportent qu'à grand-peine. J'ai commencé de tra-

---

1. Quinze épreuves de la photo de Jacqueline déjà mentionnée dans la lettre précédente.

vailler un peu. Non pas à mon roman, mais à un *Tobie* en longues phrases assonancées ou rimées ; il y a déjà le vieux Tobie
aux bords des fleuves de Ninive pendant la captivité — alors
qu'il vient d'ensevelir un jeune homme tué par les Assyriens,
préfiguration de Joseph d'Arimathie ensevelissant le Christ ;
il y aura encore le fils partant pour la ville des Mèdes,
l'archange Raphaël se révélant à la mère parce qu'il ne faut
pas que la mère ignore, puis le mariage, le retour. Je suis
embarqué à fond. Je pense en faire une trentaine de pages
avant de revenir à Paris.

N'y seras-tu vraiment plus, le 16 ou 17 juillet ? Je voudrais
bien que si.

Ton

R.B.

Un tuyau : n'as-tu pas une carte permanente pour le Musée
des Arts décoratifs ? Tu serais gentil de me la laisser, ou de
l'envoyer avant ton départ. Ou si non toi, Lhote : pense donc
à le lui demander. Merci. Et ne me dis plus de choses ridicu-
les, à propos de mes photos où il soit question de papier, de
temps, de peine, et de 0.10.

Dernière heure : au moment de mettre sous enveloppe, je
viens de déchirer une épreuve ; j'envoie tout de même les 14,
pour ne pas te faire attendre. J'ajoute une bande de paysans
bulgares sur le pont du bateau qui allait à Orsova.

76.

Bichet à Rivière

Mercredi soir, 16-07-1912

Merci, mon vieux Jacques. Tu as presque partout raison.
Ta critique centrale, je m'y attendais ; tu me l'avais adressée
déjà lors du *Livre de l'Église* ; pour moi, pour mon tréfonds,
pour ce que je sais de moi-même, elle n'est pas aussi juste toujours que tu peux croire : tous ces drames ne sont pas aussi
arbitraires qu'ils le paraissent, surtout le dernier, celui justement qui le paraît le plus, n'est-ce pas ? Mais qu'ils le semblent suffit à le condamner. Peut-être à cause d'une transposition de registre, qui chez moi se fait très souvent, même
quand il ne s'agit pas du tout d'écrire ni de raconter — à cause
d'une espèce de mensonge quasiment originel, qui est une
dépravation non pas purement littéraire, et dont je puis si peu
me déprendre que j'en ai souffert plus d'une fois.

Je ne me défends pas, je ne veux pas me défendre, je ne
songe pas à me défendre. Je ne veux pas non plus faire le prophète. Il y a pourtant certaines choses qui sont arrivées, mais
comme moi seul le sais et puis le savoir et le sens, tu as encore
raison, c'est sans importance.

Maintenant, tels que ce sont ces drames, je voudrais que
Gide les lise. Non pas pour les imprimer, je sais qu'il ne le
fera pas, mais simplement pour qu'il les connaisse. Je te prie

de me dire où il est : en Normandie sans doute ? et si oui, je te demande même de lui faire l'envoi avant ton départ pour La Chapelle ; je lui écrirai de ma part. Mets-moi donc un mot de réponse à ce sujet.

Je t'envoie trois photos ; c'est tout ce que j'ai pu tirer ce matin, le ciel étant voilé, et mon virage-fixage commençant d'ailleurs à prendre de l'âge. Je serai donc promu archange.

J'arriverai à Paris presque sûrement mardi le matin ; tâche donc de trouver, avant dimanche, un instant pour me dire la date précise de ton départ — simplement pour m'éviter mardi de faire en vain le voyage à la rue Froidevaux ; il y a ici une telle chaleur, un tel étouffement si aveugle, si mat, si tamisé, que j'ai peur de me remuer. Pardonne.

Je continue *Tobie* malgré tout, en attendant que tu me dises ce que tu crois que je devrais faire.

J'espère pour vous que tu seras parti mardi, puisque ce sera la marque de la guérison de Jacqueline, mais pour moi j'espère que non. Je pense toujours à moi.

Mes amitiés à tous.

R.B.

Sur la feuille, à jamais mémorable, où Madame Rivière m'a décerné de plus que temporelles palmes, il y avait une règle de trois simple au crayon. Je te la recopie, peut-être t'est-elle utile. J'en respecte la disposition typographique :

$$800 - \frac{250 \times 400}{800}$$

$$250 \mid \underline{8}$$
$$3{,}1$$
$$10$$

77.

Bichet à Rivière

10 août 1912

Je t'envoie, cher vieux, deux poèmes composés hier et aujourd'hui, fragments d'un recueil lyrique dont en deux semaines j'ai fait trente pages, ce qui est beaucoup pour moi. Je travaille assez ferme, et je crois que, par moments du moins, ça va. Je veux, toutes ces vacances, contenter ce besoin de poésie et de piété ; l'hiver, nous verrons à déployer plus de psychologie, plus de tactique, et à boucler le drame rustique dont le plan est ébauché. Le mois prochain, sans doute, je t'enverrai l'*Épithalame*, en te demandant de le faire parvenir, après lecture, à Copeau — à moins que tu ne le préfères envoyé à Copeau directement, et alors donne-moi son adresse ; penses-tu, s'il accepte, qu'il aurait de la place en octobre ? Je voudrais que cela passe vite, si cela doit passer.

Quel temps avez-vous à La Chapelle ? Ici, un horrible froid de novembre, et une pluie continuelle. On ne peut presque pas mettre le nez dehors. Je me suis fait rincer cet après-midi comme un soldat.

Ah ! tu serais bien gentil de m'envoyer *par retour du courrier* ta carte pour les miniatures persanes ; il se pourrait que

j'aille à Paris quelques jours avec mon frère. Avant lundi soir
ici, please.

Amitiés à tous très tous.

R. B.

Le jour du Seigneur

Toute la semaine de travail est sur moi, et j'en suis lourd
Mais qu'importe le travail ce matin de dimanche ?
Que vaut le blé lié quand c'est le jour de la pervenche,
Le jour du cœur malade qui espère et qui demande ?
Mon cœur, devant le plus beau travail, reste froid et sourd !

J'irai, par cette allée sous les tilleuls fleuris,
Comme un seigneur qui passe entre deux rangs de
candélabres,
Au jardin où les bordures de lys font un fouillis
Comme, près des rives d'un lac, deux cygnes qui se battent.
Laissez-moi donc, je reviendrai, ce n'est que pour
aujourd'hui.

Voici dix heures. Voici la clochette qui chante.
Voici la procession qui revient dans le chœur
Comme la visite de la ferme s'achève toujours devant la
grange.
Et ceux mêmes qui ne savent pas lire regardent leur missel
collé par les tranches,
Comme on goûte les parfums sans connaître le nom de la
fleur.

Ah ! les jours de semaine sont faits pour la marche obstinée
Du moissonneur, et pour la morsure de la grande lame, qui
creuse
Une large place ronde comme l'aire dans l'avoine laiteuse
Mais le dimanche appelle un pas plus régulier,
Une pulsation plus fervente que les ailes de la faucheuse !

LETTRES AU PETIT B. 263

Un autre Roi, qui n'est plus celui des javelles,
Un départ qui ne veut ni faux ni attirail,
Un autre ordre qui n'est plus celui du travail,
Et peut-être une joie, le soir, qui n'est plus celle
Des deux rideaux du lit ouverts à plein vantail !

Les anges (fragment)

Debout, le soir, dans l'ombre bleue du noisetier,
Derrière le banc tiède où les deux fiancés
Parlent en égrenant un jeune épi laiteux...
Assis contre l'armoire à l'heure des adieux
Et resté le dernier pour refermer la porte...
Rêvant à la moisson, la nuit, dans l'odeur forte
Des branches de noyer gaulées par les batteurs...
Et quand un frêle amour tremble à plein dans ce cœur
(O le ciel vert qu'emplit l'étoile du berger !)
Priant, pour l'heure des aveux dans l'oreiller...

78.

Rivière à Bichet[1]

Dimanche soir

Debout près de la gare

Vieux,

J'aime tes poèmes. Je les voudrais plus serrés, plus enfermés dans leurs limites, ils se répandent un peu trop. Mais c'est bien. Et j'en attends d'autres pour faire mon jugement définitif. En tout cas il faut continuer.

Pour la carte du Musée des Arts décoratifs deux alternatives :

Ou bien m'envoyer ton adresse à Paris.

Ou bien — et ça me simplifiera beaucoup la besogne — écrire à Ghéon (Boulevard Dubreuil — Orsay — Seine-et-Oise) et lui demander la carte de ma part. Fais ça, je te prie, c'est le plus simple.

A toi (le train est signalé).

J. R.

---

1. Lettre de Rivière avec un post-scriptum de Fournier.

Envoie *l'Épithalame* [2] sitôt fini. Je l'enverrai à Copeau, qui a d'ailleurs déjà tes drames entre les mains.

Pas en octobre, sûrement. Le numéro est composé. Tout de même peut-être.

Fournier à Bichet

René, pour les cahiers « au prix du papier », allez chez Péguy un mardi, jeudi ou samedi, et dites-lui que c'est de ma part et rappelez-lui que c'était entendu.

Je vous suis reconnaissant, ô René, de ce *Pascal* et de ce *La Bruyère* gratis.

Je vous salue.

A.H.F.

---

2. *L'Épithalame*, œuvre que Bichet renoncera à publier.

79.

Bichet à Rivière

Dimanche soir, 25-8-1912

Pourquoi n'ai-je pas de nouvelles de Copeau ? Que fait-il et que pense-t-il faire de tous mes manuscrits ? Ne t'en a-t-il rien écrit, à toi ? je voudrais bien du moins, s'il ne se sert pas de mes drames, qu'il me les renvoie avant mon départ, c'est-à-dire avant le 15.

Je suis malade. J'ai eu, depuis mon retour de Paris, de fortes névralgies, et je n'en suis pas délivré encore. Je suis tout seul. Les vers que j'ai écrits sont mauvais parce que je ne possède pas du tout ce métier-là.

J'ai déposé à la rue Cassini les deux livres pour Henri. Il ne le mérite pas d'ailleurs, parce qu'il est trop égoïste. Et toi aussi.

R. B.

80.

Bichet à Rivière

Pithiviers, 29 août 1912

Merci, mon cher. Ce que tu me dis de l'*Épithalame* me fait grand plaisir, parce que j'y tiens assez fort. Je ne pense pas que la double influence Péguy-Claudel s'attaque très creux : c'est surtout, vers le début et la fin, des formes de phrases à la Péguy qui ont eu le tort de s'imposer à moi, et que j'ai eu la faiblesse, pressé par le temps, de ne pas rejeter : mais c'est passager. Je t'envoie trois poèmes. J'en ai, soit prose, soit vers, une cinquantaine de pages ; j'ai beaucoup travaillé là-dessus, trop peut-être ; mais j'y ai appris plus de condensation. Encore quelques pages, que je ferai cette semaine si tout va bien, et ce petit recueil sera bouclé.

Ah, les phrases rares et suaves ! Comprends-tu la volupté que c'est, pourtant, de les sentir monter ? et qu'il me faudrait, pour la renonciation, bien plus de grandeur par ailleurs, un sentiment de beaucoup plus de ressources ? Et quand on est sûr de ne jamais être un héros, pourquoi se refuser le bonheur ?

Je quitte la France vers le 15, pour m'arrêter un jour quelque part en Suisse, et retourner là-bas. A partir de ce moment-là, je n'écrirai plus ; il n'y a qu'ici que je le puisse ;

je lirai, et je décortiquerai des vers pour apprendre le métier. Retour pour Noël.

Donne de ces nouvelles, si tu le veux, à Henri, et envoie-lui mes vers ; je n'ai pas le temps maintenant de lui écrire ; il refait un déchirant soleil d'automne depuis hier, à vous désespérer de tout ce que l'on n'a pas, à vous lancer pour des folies ; Pithiviers est plein de dragons en passage, et j'ai fait ce matin, sur des routes encombrées de dragons, une belle promenade en auto.

Bon courage pour cette période. Mes bonnes amitiés à ta femme (et à ta fille, indeed).

Ton toujours

R. B.

Ne pas oublier que tout ce que j'écris est à moi-même dans le même rapport qu'un sommet émergé d'iceberg à la masse entière.

Que reste-t-il encore de cet ennui précoce
Et de cette amertume, et de l'aigreur sans nom
Qui m'empêchait de regarder sans un frisson
Les enfants dans l'odeur de la nouvelle écorce ?

Où sont les fins de jour sur les chaumes trempés,
L'automne, le brouillard couleur de chien de chasse,
Tant de désir roulant parmi tant de disgrâce,
Et ce goût d'abandon sec comme un vent d'épée ?

Plus de rumeurs que dans les platanes du temple !
Plus de force que dans un mariage humain !
Plus d'espérance et de triomphe qu'au jardin
Quand tombe comme un fruit l'essaim de miel et d'ambre !

Plus de joie, plus de joie, plus de joie, ô mes Anges !

Je suis le jeune roi, ivre de tant d'amis,
Qui voudrait se lancer dans des courses étranges
Pour le nouveau plaisir d'être toujours suivi...

Tu disais : « Je voudrais, certains soirs, être seule
Dans le coin d'un caveau bleu d'humidité,
Et que, massif et lourd comme la vérité,
Roulât sur mes sommeils le destin d'un grand fleuve.

Tous, comme on suit des yeux le grain pris par la meule,
Ausculteraient ma mort, là-haut, sous leur pavé :
Les malheureux parfois ont besoin d'éprouver
Qu'on peut être plus qu'eux fier, misérable et veule.

Mais d'autres jours, ah ! je ne cesse de penser
A celui qui, portant, comme en un pur poème,
Le rythme de l'espoir sur son pas balancé,

Cache son repentir, sa faiblesse et sa haine
Dans ses grands yeux profonds et souriants, et chauds
De promesses comme une chambre de repos. »

1. Quelle est votre voix, Ange gardien, et quelle est la
mienne ? Vos paroles sortent de mon cœur.

2. Êtes-vous en moi comme le conseil secret du coquillage ?
Cependant, je sens votre main comme la main du soleil posée
sur mon épaule.

3. Voici que l'adolescent a prononcé un mot d'amour tout
bas dans le jardin, et il lui revient plus doux et plus sonore,
renvoyé par les arcades blondes, et ce n'est que lui qui a parlé.

4. Pardonnez-moi : je me crois encore à l'année dernière, ces

jours de fin mars où elle montait avec moi le chemin du hameau ; la pluie noyait l'odeur des menthes.

5. Et tantôt son silence répondait à mon silence, tantôt elle commençait à chanter quand je parlais encore, comme de sœurs la plus rieuse court annoncer la plus grande.

6. Ah, que dire de vous, mon Ange, sinon des mots d'amour ?

7. Nous n'avions reçu du père qu'une amphore, et nous y avons scellé le vieux philtre ; si la colère du maître l'avait fracassée en rentrant, où donc aurait-il mis la vendange nouvelle ?

8. Je ne suis qu'un homme et qu'un cœur, je ne sais dire de vous que des mots d'amour.

81.

Fournier à Bichet

2 novembre 1912

Jour des Morts

Allons, allons, jeune homme, pas de neurasthénie ! La note que j'avais mise en hâte sur la carte de toi que Jacques avait laissée sur sa table était une « note de service », rien de plus. Me crois-tu capable de *blesser* quelqu'un volontairement [1] ?

Maintenant rappelle-toi dans quelles circonstances d'exceptionnelle confidence Péguy m'avait offert au prix du papier son *Grand Noël*. Rappelle-toi avec quelles hésitations mais aussi quel plaisir je lui avais demandé la même chose pour son abonné, mon ami Bichet. Rappelle-toi enfin avec quel mépris tu avais repoussé mon offre et feuilleté ce malheureux *Grand Noël*. Et voilà que tu m'en demandes trois d'un coup.

Cependant, comme je ne *fais* pas de neurasthénie, je ne t'en veux pas de ce mépris de naguère pour le *Grand Noël* et bénévolement j'imagine qu'il t'était imposé par une purée menaçante et la crainte de débourser 3 F. Ce qui est très légitime.

---

1. Voir lettre 77. Cette note un peu cavalière avait-elle froissé Bichet ? Elle concernait un exemplaire sur grand papier d'un numéro des *Cahiers de la Quinzaine*.

Non, jeune homme, non. Le seul grand reproche que j'aie à vous faire, depuis toujours — et encore vous avez fait de grands progrès depuis un an sur ce point, — c'est — comment dire ? — un certain manque de foi, une certaine avarice du cœur, une certaine faiblesse du bras... qui fait que tu n'es pas assez le *Grand Meaulnes* de la 1re partie — un gonze auprès de qui tout est possible, et qui croit en vous et qui croit en lui, et lorsqu'on sort avec lui dans un chemin ou dans la rue, on sent que tout devient possible, et que tout à l'heure peut-être, au tournant du chemin, il vous montrera du doigt en souriant le Beau Domaine Perdu qu'on n'a jamais vu qu'en rêve.

Tout est possible, jeune homme. Et il ne faut pas vous rétracter ni prendre un sourire gêné quand on vous dit ça.

Il faut dire aussi à ma charge, que si j'étais toujours ce gonze-là, je n'aurais pas besoin qu'un autre le soit à ma place. Il y a donc de ma faute aussi et les reproches que je t'adresse, s'adressent surtout au duo maladroit que nous faisions, les années passées, à onze heures du soir, boulevard Saint-Michel. Mais la dernière fois, par contre, j'avais plaisir à te confier des espoirs, des choses,... des espoirs qui ne s'évanouissaient pas au moment précis où je te les confiais.

Pour finir, et comme récompense, voici la vérité que je porte aujourd'hui dans toute ma peau et dans tous mes gestes. Nous nous embarrassons de trop de choses. Nous donnons trop de petits regrets et de petits désirs à de petites amours qui n'en valent pas le coup. Or une seule chose est nécessaire. Et puisqu'elle est nécessaire elle est possible.

Il m'a fallu sept mois pour me décider à *écrire* la lettre que je porte maintenant dans la poche droite de mon veston *et qui sera remise avant la fin de l'année*. Sept mois ! Nous nous mourons de faiblesse, nous nous mourons de ne rien oser !

Cet après-midi, chez le *Grand Meaulnes*, c'est le jour des noces. « C'est un beau jeudi soir glacé, où le grand vent souffle... » Ce grand imbécile s'enfuit une première fois à la tombée de la nuit et on le rattrape ; une deuxième fois le lendemain avant le jour, pour de bon cette fois. Il me reste encore trois chapitres à écrire, un dans le milieu, et deux à la fin.

J'ai renoncé à publier ça en bouquin avant le Prix Goncourt. Le Prix Goncourt vous empêche à jamais d'être aimé, comme il faut, par ces inconnus admirables de qui l'on veut être aimé. Je n'aurais voulu l'avoir que pour voir ma gueule dans les journaux. Et j'aurais aimé avoir ma gueule dans les journaux... Mais ce serait trop long à t'expliquer.

Donc je paraîtrai en revue — en chic revue — avant de paraître en bouquin.

La plus grande bêtise que tu aies jamais dite, c'est ce que tu dis de ta littérature. Le *Livre de l'Église* est une *belle* chose. Et j'aimais *beaucoup* l'*Épithalame*, pour toutes les raisons que tu devines, avec cette restriction que... Mais non, sans restriction. Seulement, maintenant, il faut faire autre chose.

— Dans le choix de tes postes en France, tiens compte de ceci : *Tu me sauverais peut-être la vie*, si tu étais professeur à *Brest*, *Toulon* ou *Rochefort*.

— Je communique tes désirs à Jacques pour le quatuor Waldbauer-Kerpély.

— Le lieutenant Pontrin, ce brave garçon, ce cœur excellent, grâce à qui nous étions montés en aéroplane avec les Caudron, est mort après d'affreuses souffrances.

— *Les Sept Hommes* de la dernière *N.R.F.* c'est bien [2]. L'auteur ressemble à un Apollinaire au petit pied (physiquement). Comme bouquins de peu ou prou d'intérêt, qui viennent de paraître : *Les Cent Gosses* de Machard. *La Guerre des Boutons*, de Pergaud, *Découvertes* de Vildrac ; et surtout *Des hommes...* par Bernard Combette. Il vient me voir tout à l'heure. Je vais tâcher qu'il t'en envoie un, en prétextant la petite réclame que tu pourras lui faire à Budapest. Tu lui écriras pour le remercier.

---

2. *Sept Hommes,* d'Ernest Tisserand paru dans le numéro de novembre de la *N.R.F.,* pp. 810-869.

— J'ai en ce moment toute la confiance de Simone [3], qui, partie en Amérique, me charge d'une mission fort grave. Cela me met en relation avec d'illustres types pour qui je me sens la plus parfaite indifférence quand ce n'est pas de la pitié.

— J'ai passé l'autre jour à deux doigts de 500 F de plus par mois. « C'est à vous tout de suite que j'ai pensé, m'a-t-on dit, mais j'ai trouvé que cela vous prendrait trop. D'ailleurs un jour ou l'autre, je vous aurai quelque chose d'équivalent. » J'attends.

— J'ai lu *Un Amant, Wuthering Heights* d'Emily Brontë. Je ne me rappelle plus si tu l'as lu. Quel terrible bouquin !

Allons en voilà assez. Ne t'abuse pas sur mon cas. Je t'écris, étouffé par une désolation terrible.

Quand tu viendras au 20 décembre [4], ce sera pour moi *un grand plaisir* comme toujours. Je t'emmènerai au Pathé-Journal qui est un cinéma épatant. Nous jouerons et nous causerons avec Jacqueline. Je t'apprendrai. Tu verras, cinq minutes de ça et ce qu'on sentait de plus misérable et de plus méprisable en soi s'est évanoui.

A bientôt, mon bonhomme, je t'aime bien.

Henri.

Quel genre de retentissement la guerre a-t-elle chez vous ?

---

3. Simone, partie aux États-Unis pour une tournée théâtrale de plusieurs mois, avait confié à Fournier, secrétaire de son mari, un certain nombre de tâches délicates. Il s'agissait d'obtenir d'Henri Bataille qu'il fasse reprendre sa pièce : *l'Enchantemant* pour en confier le rôle principal à Simone à son retour. (*Cf. Vie et Passion d'Alain-Fournier*, p. 190.)

4. Bichet devait mourir tragiquement le samedi 21 décembre 1912. Il avait 26 ans.

82.

Fournier à Bichet

22 novembre 1912

Cher ami,

Deux mots seulement pour te dire que Combette manque de bouquins en ce moment, mais va t'en envoyer un :

— que je ne suis pas convaincu du tout de ce que tu me dis des Turcs. Tant pis que ce soient des gens très gentils ! Nos canons et notre méthode ont triomphé des leurs qui étaient allemands, et je sais par Casimir-Perier que cela a produit un effet énorme à l'étranger, en Amérique, en Angleterre et en Allemagne. Ensuite il y a des Français de cœur parmi ces Rois alliés et leurs peuples. Enfin je suis agacé par une jeune école de l'armée auxiliaire (Gallimard, Lhote, etc.) qui trouve admirable tout ce qui se fait en Allemagne ;

— que Jean Rodes, dont je parle dans une note (excellente) de la *N.R.F.* d'avril 1912 [1], est correspondant du *Temps* (a écrit

1. Texte étonnant et en quelque sorte prémonitoire dans lequel Alain-Fournier rend compte d'un recueil de « souvenirs des journalistes français anciens correspondants de guerre » paru chez Ollendorf et intitulé « sur les champs de bataille ». Parmi ces récits, Alain-Fournier a noté celui de Jean Rodes dont il apprécie le style dépouillé : « Humbles détails ; gestes connus ; petites manies des troupiers au service en campagne [...] les retrouver ici donne à ces scènes de guerre une réalité surprenante ; et la présence de la mort leur confère une grandeur unique. » (*N.R.F.*, n° 40, pp. 709-713.)

autrefois dans la *Revue Blanche* et donné un roman *Adoles-
cents* (?) au *Mercure*), et que si tu peux faire sa connaissance,
tâche, car ça doit être un gonze épatant ;
— que le Pathé-Journal avec de petites scènes de guerre au
chiqué et surtout avec des vues de convois de blessés turcs ou
de cavalerie en déroute nous a donné de grandes émotions ;
— que Péguy publie dans *le Correspondant, la Grande Revue*
et *le Bulletin des professeurs catholiques,* des vers admirables
qui vont paraître en Cahiers sous le titre *La Tapisserie de
Sainte-Geneviève et de Jeanne d'Arc* ;
— qu'on vient de me faire cadeau du Livre de Catherine
Emmerich. Je te recopie, faute de temps, ce que j'en dis à
l'instant à Combette pour le remercier :
« Je l'ai feuilleté tout à l'heure. D'abord avec quelque
déception. Trop de sacristie, trop de visions de bonne sœur
malade.
« Puis je suis tombé sur un chapitre qui m'a bouleversé
— Le chapitre où l'on voit les bourreaux tirer sur les cordes
fixées à la poutre transversale de la croix pour en faire glisser
le pied dans le trou creusé d'avance, et — avec une affreuse
secousse au moment où le pied s'enfonce — dresser (pour la
première fois et pour toujours) Jésus-Christ crucifié devant
les hommes.
« N'importe, il faudra toujours, comme je vous le disais,
reprendre, après ce beau livre fuligineux, la Bible ou l'Évan-
gile, pour remettre, de l'ordre et de la clarté et de la simplicité
et de la lumière de tous les jours et de ce que Péguy *appelle* du
pain bis — dans notre religion —
— que j'ai vu hier la *Marie-Madeleine* de Hebbel [2], aux Arts,
— ça n'est pas sans atmosphère — avec Dullin très émouvant
et d'autres acteurs excellents.
— qu'il faut que tu me rendes le service suivant : que tu
m'apportes à ton retour à Paris, pour la petite fille de Pierre
Marcel qui collectionne dans une vitrine des poupées de toutes les races et de toutes les provinces — une magnifique pou-

---

2. Théâtre des Arts : *Marie-Madeleine*, tragédie en trois actes de l'écri-
vain allemand Friedrich Hebbel, achevée à Paris en 1843.

pée costumée d'une province hongroise. Quelque chose de
très particulier de façon à être bien sûr qu'elle ne l'aura pas
déjà. Quelque chose comme « Campagnarde de la province
de..., en habit de mariée ». Je suppose. Tu comprends. Entre
10 et 20 francs, que je te rembourserai aussitôt. Pas moins de
10 F en tout cas ;
— que j'ai acheté à peu près tout les Stevenson, mais que je
n'ai pas retrouvé la jeunesse aventureuse d'*Enlevé* ou de
Catriona [3]. Mais je n'ai pas encore tout lu. Le *Dynamiteux*
pourtant est d'un esprit charmant et aussi le *Roman du Prince
Othon* ;
— que, à ton retour, je te présenterai, dactylographié, sur un
plat, le *Grand Meaulnes* [4]
et que je te serre la main affectueusement, brave petit
compagnon.

H.A.F.

3. *Kidnappé* ou les aventures de David Balfour (1886) et sa suite
Catriona (1893).

Stevenson a beaucoup marqué Alain-Fournier parmi les auteurs anglais
et sa conception du roman d'aventures a laissé bien des traces dans *le
Grand Meaulnes*.

Une lettre récemment retrouvée d'Alain-Fournier à T. S. Eliot le poète
anglais à qui Fournier avait donné des leçons de français et de philosophie
à Paris, confirme que l'auteur du *Grand Meaulnes* s'efforçait de connaître à
fond la littérature anglaise. Il remercie son correspondant de lui avoir
envoyé une liste compète de tous les livres susceptibles de lui être utiles. Il
va se les faire acheter les uns après les autres. Il mentionne entre autres
Catriona dont il a achevé la lecture « facile » au cours des vacances à la
campagne. La lettre est du 25 juillet 1911.

4. *Le Grand Meaulnes* sera effectivement achevé seulement en janvier
1913 (JRAF II 419), mais Bichet ne sera plus là pour le lire.

APPENDICES

Pour compléter l'échange que nous venons de lire, il nous a semblé opportun de donner quelques documents qui permettent de mieux cerner la qualité des liens qui unirent le groupe d'amis dont Bichet était membre à part entière et aussi d'apprécier la valeur de son écriture et les promesses qu'il donnait lorsque la mort le saisit.

Aussi lirons-nous successivement :

1 — Une lettre collective pour protester contre la façon tendancieuse dont les journaux rendirent compte de la mort accidentelle de Bichet ;

2 — la note rédigée par Rivière dans la *N.R.F.* pour annoncer cette mort ;

3 — la préface d'Isabelle Rivière à la première édition des *Lettres au petit B.*, préface qui contient le portrait le plus complet qu'en ait tracé l'un de ses témoins les plus proches ;

4 — enfin, les six textes de Bichet publiés dans la *N.R.F.* de 1909 à 1911 à l'instigation de Jacques Rivière et d'André Gide.

Ses autres poèmes ont été publiés chez Émile-Paul, en 1939, avec une préface de Raymon Schwab et une lettre alors inédite de René Bichet à Alain-Fournier : celle du 9 septembre 1906.

Paris, le 26 décembre 1912

Monsieur le Rédacteur en Chef [1],

Ceux des amis de René Bichet qui l'ont le mieux connu vous seraient extrêmement reconnaissants de bien vouloir insérer les rectifications suivantes :
— René Bichet n'était pas un morphinomane,
— il ne faisait pas partie d'un « club de morphinomanes »,
— il s'était piqué à Rouen, par curiosité, chez des morphinomanes, mais n'avait conservé avec eux aucune relation,
— c'est par curiosité encore, et dans l'entraînement d'une soirée de gaieté, que, rencontrant un de ces jeunes gens connus à Rouen, il s'est fait une piqûre plus forte,
— on a découvert sur son bras gauche de nombreuses traces de piqûres. Mais les journaux qui ont publié ce renseignement négligent de dire que ce sont là — outre les trois piqûres de morphine de la nuit du vingt décembre — les traces de quatre piqûres de caféine et de deux piqûres d'éther faites par le médecin de l'hôtel et par l'interne de l'hôpital. (Les constatations du médecin-légiste chargé de l'autopsie confirmeront certainement notre témoignage sur ce point.)
— René Bichet qui enseignait depuis un an et demi à Budapest n'y a jamais fait usage de morphine. C'est ce qui ressort des déclarations de son collègue, qui était aussi son ami et son confident et ne l'a jamais, là-bas, quitté d'une heure.
— Monsieur Bourget, loin d'être « le plus intime ami de René Bichet » était un camarade qu'il avait connu au régi-

---

1. La mort de Bichet avait été annoncée dans les journaux comme celle d'un jeune morphinomane appartenant à une bande de toxicomanes. Les amis de Bichet s'insurgèrent contre cette façon de présenter les faits et tentèrent de faire insérer cette lettre qu'ils rédigèrent et signèrent en commun. Le texte ne fut jamais publié et la mémoire de Bichet n'a jamais été lavée de ce soupçon qui continuera à planer dans son entourage immédiat malgré tous les efforts pour le dissiper. Nous avons cru de notre devoir de donner en terminant ce document à l'appui de ce que nous croyons être l'exacte vérité sur ce triste malentendu.

ment, avec qui il était si peu lié « d'une amitié rendue plus
étroite par leur commune passion pour la morphine » qu'ils
n'ont jamais été en correspondance sérieuse et régulière, et
qu'ils ne se tutoyaient même pas. La lettre laissée par Monsieur Bourget durant la nuit du vingt décembre en fait foi.
(Elle a d'ailleurs été inexactement reproduite par les
journaux.)

Nous avons cru de notre devoir de vous adresser ces rectifications pour faire respecter la mémoire d'un mort dont nous
aimions la belle intelligence et la parfaite santé morale.

Veuillez agréer, Monsieur le Rédacteur en Chef, avec nos
remerciements, l'assurance de notre parfaite considération.

J. Tharaud ; A. Guinle ; H. Fournier ; J. Wahl ; J. Rivière ;
A. François-Poncet ; A. Digeon ; A. Plassart ; J. G. Tron-
che ; Ch. Avezou ; Y. Poirier ; A. Morize ; H. Delage ;
A. Lhote.

René Bichet
par
Jacques Rivière

René Bichet vient de mourir à vingt-six ans. Il avait publié dans *la Nouvelle Revue Française* : *L'Attente*, *Fête*, *Histoire de l'Épi* (1er juin 1909), *Le Livre d'Orphée* (1er mars 1910), *Le Livre de l'Amour* (1er mars 1911) et une sorte de petit drame religieux, *Le Livre de l'Église* (1er août 1911).

Ne disons pas : la mort l'a frappé au moment où il allait développer des facultés merveilleuses, s'épanouir avec un éclat imprévu. La vérité est différente : notre ami est mort au moment où il rentrait chez lui, où, renonçant aux régions trop vastes qu'il sentait ne pouvoir tenir, il allait se retirer dans son champ le plus étroit, le plus foncier, le plus âprement fécond. Il était en train de retrouver ses limites, de s'y reprendre, de s'y réattacher de toutes ses forces, comme un capitaine revient chercher la victoire dans les défenses naturelles de son pays.

René Bichet avait cette culture abondante et solide des enfants pauvres qui ont eu la vocation de l'étude. Il avait beaucoup travaillé. Élève de l'École Normale, reçu premier à l'agrégation des lettres, il avait une habitude très profonde des auteurs anciens et de tous les classiques. Nous aimions à nous documenter auprès de lui. — Pourtant il restait au milieu de ses propres connaissances comme en un pays étranger. La culture pour lui fut un voyage comme celui qu'il entreprenait, plusieurs fois par an, à travers l'Europe, depuis qu'il était professeur à Budapest. Dans le monde des idées, il ne fut jamais chez lui ; il n'était pas de ceux pour qui la pensée des autres est un terrain où la leur aussitôt se met à prospérer ; il la traversait, la constatait, l'aimait (ses carnets sont pleins de textes recueillis au cours de ses lectures) ; mais il ne s'en emparait pas, il n'y vivait pas ; elle n'était pas pour lui un point de départ. Je ne veux pas dire qu'il ne rapportait rien de ses voyages ; mais ses conquêtes intellectuelles étaient comme ces belles étoffes qu'il achetait parce qu'il les admirait, c'est-à-dire parce qu'elles étaient différentes de tout ce qu'il connaissait. Il les gardait telles qu'on les lui avait livrées, il les rangeait dans sa malle et ne les en retirait que pour les montrer chez lui.

Mais il y avait un endroit où il était chez lui ; il y avait un endroit au monde où il était à son affaire. Sous sa mise soignée on reconnaissait toujours le rude petit homme de Beauce, l'habitant de la terre plate, au visage rouge comme l'argile, aux cheveux durs et droits. Bichet était un paysan et il en avait les vertus. Il y a des esprits qui se jettent au plein milieu des choses et là se débattent, cherchent, barbotent, reniflent, tirant les ressemblances comme des brins de paille dans la boue, les rejoignant, formant tant bien que mal un édifice à leur usage. Mais pour un paysan toutes choses existent de toute éternité ; il n'y a pas à les changer, il n'y a qu'à les travailler. Il n'y a pas à les aménager d'une façon nouvelle ; il suffit de bien savoir comme elles sont et de bien les aimer, chacune à sa place, selon leur ordre et leur préséance, et de faire rendre à chacune ce qu'elle doit rendre. Un des traits les plus frappants de notre ami, c'est qu'il ne pensait jamais à rien modifier, à rien réduire à autre chose, à rien faire avec un objet d'autre que lui-même ; il était content de le nommer, de le montrer et de le laisser là bien séparé des autres et bien en repos. Pareil au maître fermier qui connaît l'emplacement de chacun de ses champs et le chemin qui y mène et qui veut qu'on fasse le tour pour passer de l'un dans l'autre afin de ne pas gâter la haie. A mesure que l'on devenait plus intime avec Bichet, on le découvrait plein de longues et tendres habitudes, d'attachements particuliers. Il n'en disait

rien, étant d'une race mal exercée à la confidence. Mais il
savait tout ce qu'il y a au monde et il y tenait. Comme nous
aurions voulu nous promener avec lui dans ce vaste pays sans
volupté qui était le sien ! La Beauce, terre sans ombre ! Il
nous aurait menés par les sentiers qui voyagent sur le dos des
labours, il nous aurait nommé au passage chacune de ces
grandes fermes fortifiées qui sont comme les chapelles du blé.
Avec lui nous nous serions approchés de la large grille qui
ferme la cour :

> *La grange est pleine d'une odeur sèche. Il y rôde*
> *Une poussière qui fait penser au moulin.*
> *Sur le seuil un tarare souffle chaque matin*
> *Son vent frais au visage de la journée chaude.*

Il nous aurait expliqué l'occupation de chaque valet de la
ferme et pour chaque tâche il eût trouvé un mot de confirmation et d'amour. Dans sa petite ville sèche et blanche — de ces
villes qui ne savent livrer aux cartes postales que leur mairie
avec un drapeau et trois gosses ébahis, que leur gare déserte
avec les wagons à plate-forme du train-tramway — j'imagine
Bichet, pendant ses vacances, sortant le matin de la maison
paternelle comme un entrepreneur agricole qui va faire la
tournée de ses « travaux » ; mais, au lieu de plans et de devis,
il emportait avec lui, bien secrètement pliée dans son cœur,
une amitié passionnée pour tout ce qu'il allait voir là-bas dans
la grande campagne active et ouverte.

Au moment où il est mort, Bichet venait de comprendre,
plus clairement qu'il n'avait fait jusque-là, sa vocation. Il
avait vu qu'il lui fallait se rejoindre aux champs qui l'avaient
nourri et à sa famille paysanne. Il allait rentrer chez lui,
reprendre humblement un à un les objets éternels qu'il avait
un moment quittés et qui attendaient son retour. — Dans ses
premiers poèmes c'était sa culture qui s'épanchait ; on y res-
pirait un air délicieusement doux et chargé ; ils étaient pleins
de touffes de parfum, d'éclosions subites et lourdes, pareilles
à l'éclatement dans l'ombre d'étranges capsules végétales. —

Mais Bichet venait de renoncer à ces enchantements. Il nous laisse une œuvre inachevée, qui est de beaucoup la plus importante qu'il ait écrite, et dont la beauté est toute de simplicité et de rudesse domestiques. C'est une suite de poèmes en vers libres, première partie d'un vaste *Dialogue*, que nous ferons bientôt connaître. C'est le cantique des exploitations rurales. Non pas Jammes, ni Claudel : un ton plus avare et plus allègre à la fois, l'entrain grossier et fort du paysan qui gagne sa journée. Ces vers ont le mouvement même du travail ; comme lui ils vont, ils avancent sans se montrer trop difficiles sur le détail ; ils portent une sorte d'interrogation paisible et rythmique ; le poète arrive à la fin de chaque strophe comme le laboureur au bout du sillon et, regardant un instant derrière lui avant de repartir, il pense que sans doute ça pourrait être plus fin, mais que ça va tout de même et que c'est une chose faite.

> *Voici labouré le plus grand, le plus beau de mes champs,*
> *Celui dont la terre est saine, sans maladie et sans pierraille,*
> *Qui m'a donné un foin dru à couper à la cisaille,*
> *Et qui ne m'a jamais menti depuis vingt ans,*
> *Et qui marche à côté de moi dans la bataille.*

> *C'est un ami solide et un vieux compagnon.*
> *Le voici en guéret. Le revers des sillons*
> *Brille comme s'il était ciré, comme un banc d'église ;*
> *Les gros vers roses se trémoussent dans le sol blond,*
> *Et l'on sent une odeur grasse de brouillard et de glaise*
>   *humide.*

> *On n'en voit pas le bout. Ah, mon enfant, je me souviens*
> *D'un temps où je m'y serais enfoncé, come un chien*
> *Qui flaire chaque motte et l'éventre ;*
> *Je me rappelle un temps où je lisais un guéret aussi bien*
> *Que toi une page d'écriture où se mêlent plusieurs encres.*

> *Ici la morsure du soc était plus lourde et plus franche ;*
> *Ici la glèbe avait été prise de biais ;*

> *En enfilant du regard le sillon, je savais*
> *Qui l'avait labouré, rien qu'à l'allure de la tranche ;*
> *Et j'avais l'histoire de mon champ dans la tête quand je*
> *rentrais.*

Bichet était fait pour chanter le travail, parce qu'il était fait pour le travail. Il n'a pas su se servir de l'oisiveté. De trop longtemps sa race n'avait pas eu affaire à elle. Il l'a maniée en maladroit, en enfant. De cela nous ne pouvons pas nous consoler, qu'elle l'ait tué, au moment où, désespérant de s'en rendre maître, il allait y renoncer pour toujours.

J.R.
N.R.F., n° 50, février 1913.

René Bichet
par
Isabelle Rivière

Je n'ai trouvé que ça en étude pour répondre à ta demande d'un calendrier, m'écrivait Henri, de Lakanal, le 7 février 1906, *mais comme l'a dit fort justement le petit poète qui me l'a donné : « Il n'est pas très, très chic, mais il est très commode. »*

Ce petit poète était René Bichet.

Né à Pithiviers, probablement la même année qu'Henri (1886), fils d'un ouvrier typographe, qui s'imposa pour le faire instruire, parce qu'« il apprenait bien », de durs sacrifices, il fut un brillant élève d'abord au lycée d'Orléans, puis à Lakanal, où il connut en cagne Jacques Rivière et Henri Fournier. Mais plus chanceux que l'un et l'autre, et mieux fait sans doute pour la carrière universitaire, il fut reçu à Normale supérieure en 1906, et premier à l'agrégation en 1910.

Lorsqu'en octobre 1906, Henri ayant quitté Lakanal pour Louis-le-Grand, ma grand-mère vint habiter avec nous deux le très pauvre et minuscule entresol de la rue Mazarine, Bichet fut du petit groupe d'amis qui se joignait à nous chaque dimanche pour aller au théâtre, ou plus souvent au concert.

Pas très grand, trapu, brun, le front marqué de trois grosses rides, les sourcils épais et noirs, qui dessinaient sur son visage presque carré un arc double et continu, auquel répondait l'arc remontant de la grosse moustache, il était parmi nous, malgré cet aspect au premier coup d'œil presque bourru, une présence douce et discrète, une gaieté légèrement voilée, un enthousiasme profond mais assourdi, et comme déjà détaché, une gentillesse un peu fermée — « le petit poète » auquel Henri reprochait de ne pas assez croire en lui-même, ni à la merveille qu'est le monde, ni que *tout est possible*, alors que simplement pesait sur lui peut-être l'obscur sentiment de sa fin si proche.

Non pas certes un ami comme Jacques ; et non seulement parce que Henri pouvait lui écrire : *Tu me connais assez pour savoir que je diffère pas mal de toi* ; car de qui différait-il plus que de Jacques ? Mais plutôt à cause d'une certaine réticence de l'âme, qui ne pouvait se décider à laisser voir en soi jusqu'à l'essentiel. Combien Henri devait regretter, par exemple, quand il le découvrit plus tard dans la triste occasion de sa mort, que Bichet eût si soigneusement caché qu'il était comme nous du peuple, de famille pauvre et presque campagnarde : « Quel lien c'eût été, disait-il ! Comme nous aurions aimé courir avec lui *les ajoncs de son Loiret* ou les bruyères de notre Sologne, et confronter nos deux langues paysannes ! »

Quel étonnement ce fut aussi et quelle amère émotion lorsque ses papiers intimes montrèrent le pauvre enfant, que la mort devait prendre si traîtreusement, et qui n'avait jamais laissé transparaître la moindre inquiétude religieuse, hanté par la peur de mourir sans confession ! Ainsi cette foi sourde et la recherche angoissée de ses deux amis avaient pu s'ignorer jusqu'au bout, alors qu'elles se fussent l'une l'autre éclairées, secourues.

C'est pour cette réserve, qu'il eut plus d'une fois l'envie de bousculer, qu'Henri lui écrivait, mi-plaisant, mi-grave : *Il y a beaucoup de choses sérieuses dont on ne peut pas encore parler devant toi.*

Mais si Bichet ne fut pas l'intime, le frère — cette place était prise et ne pouvait être qu'unique —, il fut le *brave petit compagnon*, le témoin affectueux et toujours bienvenu de nos peines et de nos joies, le « poète » attitré de la maison, qui, tantôt venu pour les vacances de Noël nous faire conduite jusqu'au train, improvisait sur le quai telle chanson de départ que nous fredonnions jusqu'à La Chapelle :

Le jour de Noël, à deux heures,
Nous partirons, nous partirons !
Et les bouillottes les meilleures
Seront sous nos gentils talons...

tantôt célébrait par un poème qui n'était qu'un sourire mouillé, le grand événement de nos fiançailles, tantôt nous donnait à lire *des vers tout simplement très beaux,* où s'éclairait de temps en temps quelque vision brusquement bouleversante d'être si humble et quotidienne :

Le chat boit dans un pot cassé...

Et si Henri n'ouvrit pas devant lui, comme devant Jacques, jour après jour, son âme en des explications interminables, il laissa fuser parfois, vers le *brave petit compagnon, les confidences qui sont des cris qui arrachent le cœur,* témoin ces deux lettres du 6 septembre 1908 et du 7 mai 1909, admirables et déchirants poèmes de son amour et de sa douleur, qu'une inconsciente pudeur l'eût retenu peut-être d'adresser à l'ami le plus proche.

Un soir de la fin de décembre 1912, Jacques rentrait brusquement avec un visage de terre et de stupeur, et cette nouvelle écrasante : « Bichet est mort ! » Comment croire à cette horreur ! Il avait déjeuné chez nous la veille. Il arrivait de Budapest où il était lecteur de français à l'Université ; avant d'aller passer Noël dans sa famille il s'était attardé deux jours à Paris pour la fête des Anciens de Normale. La veille au soir, après le banquet trop bien arrosé, deux camarades avaient insisté pour l'initier aux délices de la morphine ; quelque peu chaviré par le vin dont il n'avait pas l'habitude, il s'était laissé ramener à son hôtel et piquer comme les deux autres. Puis ceux-ci l'avaient quitté. Mais la dose à laquelle ils étaient, eux, accoutumés, étant pour lui la première, devait être mortelle. Vers cinq heures du matin, le garçon d'étage en passant dans le couloir entendit des râles. Tous les soins furent inutiles. A l'hôpital où on l'avait transporté, Henri et Jacques ne le revirent que mort, tout seul dans l'amphithéâtre, enveloppé d'un drap sur une planche, comme un pain dans un linge blanc sur l'étagère, disait Henri.

Il y eut à l'enterrement un malheureux père hébété, qui ne pouvait comprendre la fin de cet enfant si sage, si travailleur, qui avait toujours donné toute satisfaction à ses parents, qui leur rapportait, cette fois encore, trois mille francs d'économies dans sa malle... et il redisait, à chacun des amis de son garçon, avec stupeur et pourtant violence et supplication, comme s'il y eût eu quelque chose à tenter encore : « Mais quelle folie ! Mais quelle sottise ! Mais on ne pouvait donc pas l'empêcher ?... »

Il y eut dans les journaux le récit de l'affaire sous ce titre mensonger : *Mort d'un jeune professeur morphinomane*, et les démarches obstinées d'Henri, appuyées du témoignage de tous ceux qui avaient connu Bichet, de celui du médecin légiste lui-même, ne purent obtenir nulle part l'insertion d'une rectification.

Il y eut une jeune fille de Paris que l'on vit pendant des mois et des mois chaque dimanche assise tout le long du jour sur le petit mur du cimetière de Pithiviers, près d'une pauvre tombe — et les gens du pays la jugeaient quelque peu « dérangée de la tête ».

Il y eut enfin — et c'est cette pensée-là que nous garderons de vous, cher petit compagnon, avec les beaux vers simples qu'il se trouvera peut-être un éditeur désintéressé pour publier un jour — il y eut enfin, de Péguy pour le jeune imprudent inconnu dont Henri lui raconta l'histoire, cette pure prière à Notre-Dame de Chartres que nous voulons faire nôtre :

> *Nous venons vous prier pour ce pauvre garçon*
> *Qui mourut comme un sot au cours de cette année,*
> *Presque dans la semaine et devers la journée*
> *Où votre fils naquit dans la paille et le son.*
>
> *O Vierge, il n'était pas le pire du troupeau.*

Il n'avait qu'un défaut dans sa jeune cuirasse.
Mais la mort qui nous piste et nous suit à la trace
A passé par ce trou qu'il s'est fait dans la peau.

Le voici maintenant dedans votre régence.
Vous êtes reine et mère et saurez le montrer.
C'était un être pur. Vous le ferez rentrer
Dans votre patronage et dans votre indulgence.

Préface à l'édition des *Lettres au petit B.*, chez Émile Paul, en 1930.

L'attente

Ce jour-là, ceux qui étaient sortis de la ville, pour flâner aperçurent la lisière des bois un peu avant midi ; ils la franchirent et de l'autre côté s'arrêtèrent, couchés entre les ronces.

Ceux qui, las de travail, rôdaient parmi les jardins en mâchant des feuilles contre le mauvais sort, arrivèrent dans ce quartier fleuri qui touche presque à la forêt, et où les derniers amandiers baignent dans la moiteur du dessous des chênes. C'était un peu avant midi.

Un peu avant midi, ceux qui parlaient d'amour virent l'ombre danser plus dru sur leurs mains jointes, et à la fraîcheur qui, sur leurs épaules se posa comme une colombe, ils reconnurent les bois.

Et ceux qui lisaient en marchant interrompaient le vieux conte, et ceux qui bêchaient dans la plaine s'étaient dressés d'un coup de reins, la main à plat au-dessus des yeux.

Et quand tous se trouvèrent réunis, de ce côté du bois qui est en plein soleil, comme un moissonneur assis devant sa porte, il y eut un silence, une aspiration profonde durant quelques instants — et les fleurs ensemble tournèrent la tête comme dans une église les fidèles vers l'ostensoir — et ils s'aperçurent que midi était sonné.

RENÉ BICHET
N.R.F., 1909, n° 5

Fête

Les branches étaient pavoisées, partout volaient les écharpes, et dans un bosquet sombre l'éternelle Ariane chantait. J'errais dans le soleil — ce n'est plus de la lumière, ce soleil, c'est de la poudre chaude, on pourrait le prendre dans une main et doucement le verser dans l'autre ! Je savais te rencontrer. Je pensais à tes yeux — à la vraie folie que sont tes yeux, on y voit la couleur pure, tout humide, toute brouillée, celle qui tourbillonne à chaque ruissellement des cils. Je pensais à toi. Une grande houle semblait prendre la ligne des coteaux par-dessous et la gonfler mollement jusqu'au plus gris du ciel.

Puis le soir vint. Un lac violet se mit à onduler sous les arbres, tandis que les rondes, avec des gestes inachevés, se brisaient. Comme le jardinier qui sur les marches du jardin regarde, avant d'entrer, la terre bleue fumer entre les iris, les poètes arrivés avec la nuit tombante s'attardaient à l'orée du bois. C'est alors que je t'ai aperçue, agenouillée, n'est-ce pas ? ou presque blottie au pied d'un chêne, car personne ne te donnait l'aumône ; je me pelotonnai à tes côtés, et ainsi, comme un galop de chevaux jaunes, tout le crépuscule passa sur nous, tant qu'enfin, ayant levé vers moi tes yeux — oh Dieu ! combien nous avons pleuré ! — je voyais dans chaque sursaut de tes larmes, se battre et se mêler un vol d'oiseaux blancs.

RENÉ BICHET
N.R.F., 1909, n° 5

Histoire de l'épi

Un souffle doux comme un mot, le blé lève. Faut-il se souvenir, Annie, de toutes les moissons passées, quand on marchait près des voitures dans le tourbillon d'or ? ou faut-il, comme à un grand amour, déjà rêver aux maturités prochaines ? Le blé lève ; c'est encore une espérance et encore un travail, une pile de sacs qu'on va recoudre le soir à la chandelle, une grange qui sera bondée comme un vaisseau.

Des milliers de verdures éclatent sur la couleur d'ocre : de même à la nuit violette succède une si pâle aurore que l'Eglise chante dans les jointures des vitraux. Regarde : une incroyable ardeur, une légère et forte jeunesse ! Autrefois, avant de te connaître, combien de matins passés dans le baptême des herbes folles, à respirer l'odeur aigre des pousses comme un sel ! Jamais je ne m'ennuyais du désir des autres pays ; les batteuses pleines de poussière, ensuite l'attente du long brouillard automnal — comme aujourd'hui ton amour, chère ! — suffisaient à me retenir ; toutes mes joies ont poussé dans l'écartement de ces deux routes. C'est ainsi que le blé lève, heureux d'être fragile et vert, et patiemment il se confie aux brises, aux averses, à la rosée comme à la gerçure, imitant sans le savoir la couleur de choses qu'il ne verra pas, l'eau sous les feuilles et le bord inférieur du ciel quand il a plu.

Midi. L'espoir s'est couronné de rouge ; la jouissance s'installe les coudes sur la table ; il n'est rien qui ne soit, car l'été comme un grand monarque a réuni ses sujets, et au premier rang voici, galonné de vieil or, le blé.

Dans la ferme, sous les voitures renversées, les charretiers dorment : le blé, lui, est debout. Passent alors les pompes abbatiales, passe la bénédiction, passe le silence : recueilli dans sa chaleur, méditant sa plénitude, l'épi sans effort jouit de l'universelle présence et d'avoir à sa hauteur la tête de tous ses compagnons.

Annie, je t'aime. Il n'y a plus que cela. Cela même à peine, à peine la force de le dire. Je t'aime. Ce n'est plus une joie bondissante, la fraîcheur de la découverte, la main levée claquant pour montrer aux autres son trésor ! Mais l'âme, s'étant reconnue au plus haut faîte de son espoir, a mis en elle-même sa complaisance et en un calme recueillement. Il s'agit bien à présent de parler dans les éclats de rire ! C'est une douceur indiscernable qui nous enveloppe, c'est un si grand repos que nos sens l'acceptent tout juste, c'est le ciel et les champs mêlés dans la même ardeur autour du solennel Epi !

Prends-moi la main. C'est le silence des premiers âges qui remonte en nous. C'est toi. C'est moi. Je t'aime.

Maintenant que dans la grange obscure les sacs sont rangés comme de blancs pèlerins, je ne sais pourquoi, j'ai peur. Le blé est là ; comme quelqu'un qui ferme les lèvres, ayant dit le mot qu'il avait à dire, il est rentré dans le secret des douces neiges incorruptibles ; après la mort il vit, et la lune lui chante bas par le large trou de la serrure.

J'ai peur ; ce début de nuit est si calme ! Laisse-moi, dans la petite odeur de la farine, rêver si confusément que j'en oublie notre amour. Ne me force pas à sortir, folle ! J'ai peur de voir tout à coup le chien gris aboyer du haut de la margelle. J'ai peur d'un baquet plein d'eau dans le clair de lune. J'ai peur de ma peur, parce qu'elle est tranquille, presque agréable, parce qu'elle noie mon cœur langoureusement, parce qu'elle ressemble à l'amour !

Te rappelles-tu ce que c'est que d'aimer ? oh, comme le jour a été long depuis ce matin où le blé levait à peine ! Qui se doutait qu'une telle jeunesse dût finir dans cet oubli qui n'est même pas attristant ? J'ai peur. La farine menue, tassée dans l'ombre, est comme une pauvre âme sans pensée. Il n'est pas tard encore, il ne fait pas encore très froid... Adieu.

RENÉ BICHET
N.R.F., 1909, n° 5

Le livre
d'Orphée

(Fragment)

Tous ceux qui suivirent Orphée, ceux à qui faisait mal la grossière vie commune, habitent maintenant ce village abandonné, près de la mer. Certes, la route fut longue ; mais après le calme des premiers jours, un désir unique dans leurs âmes s'était levé, comme un soldat debout qui emplit le cadre de la porte : arriver, jouir de leur repos ; comme le coureur qui descend une pente, de plus en plus vite ! une hâte, un essoufflement ! il fallait ! et tous, emportés par la même furie, ils écourtaient leur sommeil, en marche bien avant l'aurore et jusqu'à la nuit noire...

Or ce soir-là, derrière un bois de pins qui regarde le village, « Moi, dit Hélios, j'ai quitté ma mère sans pleurer.

— Nous avons tous, dit Damon, quitté notre mère et nos sœurs sans pleurer. Il nous a tirés à lui, il nous a rassemblés comme les pierres ? »

Et tout bas il se rappelait le départ au milieu de la nuit, puis l'arrivée ici, la solitude perchée sur les murailles, les rues qui descendent à la mer baignées d'une humidité bleue... Mais Mnasyle :

— « Souvenez-vous ! (et tout le monde alors se souvint). Souvenez-vous qu'à peine entrés, tenant par la bride les chevaux que le bruit de leurs pas sur les dalles désertes épouvantait, nous avions déjà peur, quand sur un geste d'Orphée les premiers chariots s'arrêtèrent ; les timons vinrent cogner les

coffres, les chaînes un moment tombées se tendirent ; car
dans le sable, sur des décombres, une fleur jaune se dressait,
une sorte de flamme, et Orphée restait là devant elle, comme
un guerrier qui pour prendre conseil a planté son épée en
terre. C'est alors qu'il nous dit de ne pas aller plus loin.

— Le soleil, continuait Tityre, se coucha dans un ciel
incomparable. Puis la chaleur, qui d'abord nous écrasait,
s'évanouit, retournant à l'air plus serein des coteaux. Les uns
s'étaient installés dans les maisons ; beaucoup dans les jardins, ces jardins immenses où de place en place des fleurs
s'élevaient, comme un chant d'amour dans une longue matinée silencieuse. Les autres campaient au bord du golfe même.

— Et les jours ressemblant aux jours, nous avons connu la
pureté. Voyez, s'écria Cléaristo, je lève cette perle du côté de
la lune, et je n'y trouve plus comme jadis les reflets roux couleur de mer mauvaise ! »

La lune en effet montait, dégagée des brouillards qui la rou-
gissent et la déforment, éclairant les grandes plantes molles
d'où coule un lait insipide, les ombelles, les fleurs violettes
qui sont légères comme le safran, mais dont la racine extrêmement vénéneuse rend fou, l'éternelle rosée qui partout avait
établi son empire. La ligne de l'aube sur le gazon tremblait
encore, incertaine avant de se poser, quand Orphée parut
avec Eurydice.

— « Oh ! dit-il, enfin ! que je rie et que je danse ! que je
roule dans le clair de lune comme un chat dans la farine !
Regardez, elle est pâle comme un visage qui d'orgueil ferme
les paupières, elle est magnifique comme un paon sur un
mur ! Nuit, nuit merveilleuse, — presque trop belle pour la
première, ô déchirante limpidité ! Voici que tout dort, le
chien devant la porte et la feuille violette au sommet du pla-
tane ; et dans les cours une lumière bleue sur les citernes se
pose. Ah, ce n'est plus d'aucun rêve humain que nos âmes ce
soir sont les filles, ni des rires, ni des baisers, ni la fiançaille
des chevelures sous la cymbale éperdue qui frissonne ! Tout à
l'heure — tout à l'heure en venant par les chemins entre les
haies, brusquement je me suis arrêté, et j'ai senti dans ma poitrine une chaleur montante, un bonheur et une gloire, et le

vent qui me soufflait aux paupières ne m'a pas fait rougir, car
je suis aussi pur que lui ! Reine, reine ! La lune alors s'est
montrée hors des branches, avec son ardeur, son calme, sa
tristesse et sa compassion.

— « O Lune ! dit Eurydice, comme un Dieu qui se
baigne...

— Comme un magicien qui cueille des perles sous la
rosée...

— Comme l'amant couché aux pieds de la femme, qui soudain t'aperçoit dans l'embrouillement des cheveux...

— Comme un roi dont l'armée est en guerre, et qui un jour,
voyant des feux s'allumer sur les collines, monte à sa tour la
plus haute, la barbe au vent, et lorsque sur la route du pont
éclate le premier drapeau...

— C'est par des nuits pareilles qu'il faut prononcer le mot
Joie, tout bas, de crainte qu'après l'avoir dit on ne puisse plus
y croire, mais au penchant des nuits pareilles, quand l'éclat
des étoiles est si pur qu'on distinguerait dans la fontaine le
rayon vert de Sirius. — Et encore, non, de telles délices sont
au-dessus de la joie ; tous ceux qui cherchent le bonheur,
comme nous les méprisons, ce soir, dites, mes amis ? Pour
nous, la pureté ! c'est d'elle que nous aurons eu le désir le
plus incroyable, et non pas d'aucune joie ou d'aucun bonheur
réalisé ! C'est elle qui nous soulevait naguère, lorsque les promesses défaillaient et que les amants, les mains sur les épaules, cherchaient en vain dans leurs regards, que sais-je ? une
beauté moins tragique. Je suis pur ! comme l'eau lustrale au
seuil du temple ! comme l'oiseau blanc qui monte dans la
couleur de pêche ! comme cette étoile, là-bas, la plus petite de
toutes, qui brille comme une folle, qui rit toute seule au sommet de sa tour ! »

Il se tut un moment ; la nuit demeurait semblable à elle-
même.

— « Ne parlons plus, dit-il. La voix de l'homme est morte.
Eurydice, il y a pourtant une parole qui n'est pas faite pour
les oreilles, une voix que la voix ne connaît pas ; plus douce
que le glissement de la lune dans le noyer, plus tendre que le
mot amour chuchoté près des cheveux ! tiède et belle comme

le filet de sang qui coule de la bouche d'un blessé, et
lorsqu'on lui dit " Vos lèvres saignent ", il répond en souriant qu'il se demandait aussi pourquoi tant de bonheur... Je
ne suis pas triste. Mais mon âme aujourd'hui déborde
d'amour ; ne la sentez-vous pas à votre rencontre, mon âme,
comme deux femmes, la veuve et la sœur, qui se cherchent
des mains en tâtonnant pour pleurer ensemble ? »

Et il était ému de bien plus loin que les larmes. Un enfant
qui venait du bois chanta. La dernière note restait suspendue
dans l'air, comme, après qu'une cloche a fini de sonner, une
perle de pur silence se balance au cœur du grand vase. C'était
le *la* doux, grave et un peu triste, le mot suprême du chant
d'amour qui descend une allée en automne ; c'était l'aveu
trop noble pour mourir dans un baiser ; c'était l'indicible
accueil comme une porte ouverte au soleil sous les roses jaunes... Mnasyle, dressé sur un coude, écouta longtemps.
Orphée était devenu pâle et regardait Eurydice. Mais bientôt
arriva ce moment terrible où, comme un oiseau mort qui
tombe à travers les branches, l'extase abandonne le cœur, et
avec le sursaut d'un homme qui, l'hiver, en sortant sur la
route, frissonne, ils durent se réveiller.

RENÉ BICHET.

N.R.F., 1910, n° 15

Le livre
de l'amour

1

Jadis, comme un enfant qui n'ose pas chanter fort parce qu'il devra se taire en entrant dans la chambre fermée, je n'avais point de courage, et tel un malade qui sachant sa mort prochaine ne descend même plus au jardin, une obscure paresse mêlée d'épouvante m'endormait derrière les volets toujours clos. Ah misère ! les terrasses amarrées dans le soleil levant, les femmes dont le manteau violet se cassait contre les balustres ! les fêtes, les jeux ! les villes qui sans cesse, comme pour saluer un Empereur nouveau, à chaque nouveau couple d'amants plantaient des oriflammes dans le pavé rouge, et ce peuple immense qui montait les avenues avec le plein jour dans la face, et les barques jusqu'au soir se balançant sous les hauts ponts en escalier ! Mais derrière la plus pure folie j'aurais craint une catastrophe — l'eau soulevée contre les maisons, ou le feu comme un bûcheron grimpant d'arbre en arbre —, et les fleurs elles-mêmes, trop fragiles sur leur tige, me semblaient provoquer ingénument le souffle terrible qui les déracinerait ! C'étaient de longs jours sans confiance. Le matin, je n'ouvrais pas la fenêtre, sûr de trouver dans la campagne un brouillard vieux et sale ; la nuit, quand je me croyais plus fort, soudain le clair de lune tombait dans ma chambre, et mon ardeur alors se déprenait d'elle-même, comme le soldat qui, le voyant resplendir sur les bivouacs, brusquement, le cœur chaviré, se lève et devient déserteur.

Et maintenant, voici que l'allégresse est en moi tout
entière ! Oh, il y a maintenant des choses qui me font rire ! je
me lèverai, je rirai des yeux du chat qui s'ouvrent comme des
bourgeons ; j'écarterai des deux mains les rideaux, je rirai du
soleil quand il entrera chez moi comme on pousse le poing
jusqu'au fond d'un coffre plein d'or. Je veux danser comme
un roi nègre. Venez ! entre les buissons de phlox et les hémé-
rocales, nous bondirons par-dessus les allées qui sont des grè-
ves de chaleur ; puis quand viendra midi, dans le repos du
vent et de l'ombre, dans le gouffre d'immobilité comme au
centre d'un tourbillon, lorsque parmi tout le silence seul
notre cœur bougera, plongé dans le sang comme un homme
nu au milieu d'un fleuve, nous nous arrêterons, nous regarde-
rons vers la barrière... regardez-la, la voici ! son visage luit
derrière les feuilles comme une prune mûre ; elle va pousser
la porte, mais d'abord elle glisse une main entre les lattes
pour cueillir le plus beau dahlia.

2

Viens, comme la plus petite des servantes, qui rentre du
marché la dernière, lorsqu'on a presque fini de manger, et qui
pose sur la table un bouquet de fleurs fraîches. N'aie pas
peur ; tu seras celle que l'on n'espérait plus, mais qu'on eût
cherchée le lendemain au réveil ; tu seras l'hirondelle qui se
glisse par la porte entrouverte, et l'on se réjouit alors de
n'avoir pas fermé la porte. Viens donc, puisque tout le monde
attendait dans le village et que la grâce t'a conduite à qui
n'osait plus attendre, comme une graine de pin que le dernier
souffle du jour pousse dans un pré désert. Ici, ta mission sera
d'être douce, de sourire en passant dans la cuisine pour que
ton rire sur les cuivres se reflète, de chanter, et de me laisser
le soir dormir contre toi, confiant dans un inextinguible
amour, les battements de nos deux cœurs épousés de poitrine
à poitrine. Ah, vois-tu, il faut ! il faut que tu me donnes la
tranquillité ! la paix, la certitude et le silence ! l'ombre ! il
faut que tu sois le chemin creux où j'errais encore l'année dernière en m'efforçant d'être heureux ! O tard-venue, c'est ton

devoir, si tu m'aimes ; c'est ta dette, et tu ne peux la refuser. Ma douce prisonnière ! approche-toi ; ne dis pas non ; mais goûte déjà dans ton acceptation le pressentiment d'une joie plus pure, alors que, me voyant un matin sommeiller sans mauvais rêves, tu te connaîtras délivrée de ta tâche, comme l'arbre qui ayant rendu à la terre toutes ses feuilles dresse plus haut ses branches rouges dans la solitude du ciel d'octobre.

3

Comme le fermier qui a fait un bon marché dit en rentrant à la servante : « Monte un litre de cidre, car la journée n'a pas été mauvaise », moi aussi je suis content ce soir. Ah ! vous rappelez-vous encore que l'aube fut d'une lourde tristesse, que le vent toute la matinée rabattit la fumée sur les toits, mais qu'à midi dans les nuages des coins d'azur se montrè-rent, tels qu'on voit le ciel à travers les branches ? C'est alors que comme hier je l'ai rencontrée, et je lui dis : « Regardez-moi. Regardez-moi, enfant. Je ne suis déjà plus jeune ; si mes paumes ne sont pas calleuses ni mes épaules déformées, c'est que je n'ai pas conduit la charrue, mais le travail que j'ai dû faire était bien fatigant aussi. Pourtant, tel que je suis, prenez-moi ; voici mes yeux qui en se levant sur vous se reposeront des livres ; voici mes mains ; voici mon corps d'homme qui a fini d'être robuste, qui joyeusement, si vous le voulez, se donne à votre faible corps, comme un lys à demi fané qui se réjouit enfin d'avoir trouvé une abeille. » — « Mais moi, demanda-t-elle, que vous donnerai-je en échange ? car on dit dans mon pays qu'il faut toujours répondre même aux cadeaux d'amour. » Et elle me regarda lentement, puis je la vis pleurer. O mes amis ! de tout le prix de moi-même j'ai acheté ces larmes, quelques larmes rieuses et claires qui n'osaient qu'à peine se montrer. Maintenant, paix, paix et silence ! joie profonde qui remplit le cœur comme l'odeur du pain chaud remplit la maison ! Laissez-moi : voici que le ciel purifié remonte vers les étoiles, et les amants qui se sont acceptés dans les larmes vont connaître leur bonheur en entendant le coucou chanter.

4

Elle rit parfois et s'abandonne, et marche à petits pas
d'enfant comme si l'air, pareil à une mère penchée sur sa fille,
la prenait sous les bras pour la conduire ; d'autres jours elle se
révolte, les plus beaux jours de juin, or vierge et feu qui
boule ! Légère, toujours dansante, elle pèse pourtant à mon
cœur, elle l'emplit jusqu'à éclater, elle est comme le trésor
dans la cave et la maison n'a été construite que pour la garder.

Elle dit : « Je t'aime trop, je voudrais me cacher le visage. »
Elle parle des portraits de morts que chez elle on retourne
contre la muraille, parce que de penser toujours à eux on ne
pourrait plus travailler.

5

Elle pousse la porte du jardin qui donne sur la route royale,
et s'arrête. Elle est pâle comme la chaleur. Telle qu'une
lionne endormie qui bâille aux premiers coups de fouet du
dompteur, la paresse de la sieste s'étire encore en elle. Cependant l'Amour, dans l'unique rue pleine d'une odeur de confi-
ture, sent la prune recuite et les guêpes volant autour du
chaudron ; l'air brûlant lui colle au visage comme un masque ; il marche lentement, et ses regards pèsent sur les fleurs
comme le papillon laineux au bord du volubilis.

C'est l'heure lourde. Le sang remplit le corps entier,
noyant tout rêve et toute pensée dans sa mare bourdonnante.
Que veux-tu faire ? Va, rentre et dors ; peut-être qu'à ton
réveil le soir sera venu, le long crépuscule pur et sain, la
grande clairière fraîche comme une église...

6

Son nom est comme un nom d'église ; il suffit de le prononcer pour entrer dans un autre monde.

7

Peut-être que la rue est pleine de jurons, de cris comme un sarment qui craque. Mais je sais maintenant des paroles plus douces que le raisin fané qu'on retrouve à Noël pendu contre les solives ; je sais aussi des mots très simples, dont on ne croyait pas le souvenir possible au coin des lèvres gercées, et qui chantent comme un vase dans le cœur de ses fêlures.

Peut-être que le soleil brûle à pic sur les fontaines. Mais j'ai pour moi une chambre close ; l'ombre y est si mouillée qu'elle baigne dans la fraîcheur, si profonde qu'on ne peut pas lire au cadran de la pendule et que le temps n'existe plus.

Peut-être... Mais nous resterons tout le jour dans ce silence et cette paix, comme les abeilles qui se reposent dans la chaleur croissante de la ruche, dans l'ascension du miel ; et quand enfin, pensant le soir venu, nous lèverons le store, ce sera pour voir les étoiles au bord de leur terrasse dire à la lune Ave.

8

Salut et bénédiction. Délicate comme l'œillet blanc, folle comme ce reflet d'eau qui danse au milieu du mur, et sacrée ! Que n'es-tu pas ? Tu es le grain d'encens venu d'Asie pour embaumer une église de campagne ; tu es ardente et pure ; tes yeux sont doux comme les fontaines qui n'ont jamais vu le soleil ; ton corps entier chante la violence avec mesure, et tes longs gestes d'abandon, comme une phrase prisonnière de la musique, restent toujours enclos dans les plus suaves courbes de la ferveur. Ainsi chaque jour désormais t'apportera le plus tendre des Ave, car tu es belle.

Salut, puisque tu es belle. Mais ne t'y trompe point. Ce n'est pas, pour te reconnaître et t'adorer, une parole savamment étudiée ni le chant de la frémissante octave ; et peut-être que saluée par le monde entier tu ne t'en apercevrais pas. Comme il est, derrière le mouvement des lèvres, une voix plus profonde, voici, mieux que les mots choisis, le plus émouvant hommage : l'entente de la terre et du ciel pour que,

nulle part étrangère, tu sois partout comme le lierre uni à la
muraille, comme l'étoile dans les feuilles, sans qui le pom-
mier fleuri ne séduirait pas mon cœur ! Privilège ! Les paysannes te parlent, celles qui pourtant restaient des journées
sans rien dire, et elles te confient leur enfant pendant qu'elles
sont assises au rouet ; les jardiniers t'aiment comme ces fleurs
étranges dont une seule donne au parfum des autres un sens
plus admirable ; quand tu passes, il semble que tu sois là
depuis toujours ; tu répètes ce qu'on a dit, et ce n'est plus la
même chose ; tu es dans le tapis bariolé le brin de laine inséré
par la déesse, si nécessaire que les hommes ne le voient pas.

Lève-toi ; ouvrons la fenêtre aux bourres de chardons qui
volent.

9

Nous avons traversé toute une partie de la plaine, sureaux
aux croisements des chemins, voitures dételées près des cal-
vaires ; les nuages s'étant enfuis, l'espace sans oiseaux s'unis-
sait à la terre sans bornes dans le plus éternel silence et la plus
calme des ardeurs, terre et ciel où les dernières ondées rou-
laient comme de gros navires. Puis tout de suite ce fut le soir ;
creusé d'une insatiable brûlure, l'air devint tout blanc ; et
nous arrivâmes au fleuve. Fête de nos yeux ! l'eau était si
belle que les musiques à la dérive, nombreuses pourtant dans
cette fin de moisson, ne pouvaient l'embellir ; on apercevait
sur l'herbe des écharpes, toutes petites d'être mouillées ; les
pins de l'autre bord coulaient une ombre noire. Et bientôt les
rives s'écartant, nulle barque ne chantait plus ni même ne
s'aventurait, le fleuve devenait un miroir — miroir où rien ne
se reflète, pas un mur, pas un arbre, car la plaine en arrière
s'étend à l'infini.

C'est alors que me levant je m'écriai : Amour ! — Ce fut un
mot arraché de mes lèvres, tout bas, tout fort, un ravissement
presque impossible mêlé d'une obscure résistance ; et elle,
qui m'entendit, était aussi près de crier, comme le passant
ivre des clameurs de la foule qui se mêle aux soldats et hurle
sans savoir quoi...

10

Il a plu avant l'aube ; voici le petit jour, et seule une bruine pâle tombe encore du ciel presque pur. Larmes qui bientôt s'apaiseront, suave tristesse qui promet de longues heures sereines ! Cependant elle dort, et elle sourit. Elle rôde dans des salles souterraines où l'or amoncelé palpite sous des lueurs de vitraux ; puis elle sort, et le jardin désert lui envoie mille pages aventureux, mille chevaliers qui pour la contraindre à une réponse l'entourent de leurs épées plantées en terre ; mais elle s'esquive d'un bond, car sur les tilleuls, comme un nuage d'encens qui élargit le feu des cierges, une avalanche de violettes se vient doucement poser. Ainsi, enfant, son sourire a captivé le sommeil même ! Petite sœur de la Lune, que sa tendre gaîté précède partout comme un ordre, ouvrant devant elle et refermant sur ses pas un monde délicieux et docile où toutes choses lui obéissent ! Heureuse, heureuse pendant qu'elle dort ! Combien plus heureuse pourtant, lorsqu'à son réveil l'odeur des lys pour la recevoir s'avancera jusqu'à la fenêtre, que le soleil brillera dans la pluie comme une palme, et que la pensée de l'amour, comme une gorgée d'eau froide, entrera dans son âme tout d'un trait.

11

Dans la cour, auprès du puits, un seau plein d'eau rêve au soleil qui tourne ; déjà la lumière l'a quitté ; l'eau tiède a la couleur de la noisette, et une feuille de laurier s'y pose, verte et poudreuse, comme la gloire sur une tête d'enfant. Personne ne travaille plus. Une plume de pigeon, qui attendait au bord de la toiture, monte lentement, portée par une subtile haleine que ne peuvent sentir les hommes. Puis la cour s'emplit d'ombre bleue, et il y a, autour de la margelle pensive, une si pure, une si tremblante, une si mélancolique gravité, qu'on a la gorge lourde de larmes et de bonheur...

12

A cause de tes calmes genoux qui dérangent lentement les roses ;

à cause de tes tristesses, dont les moindres sont toujours comme pour le deuil d'un frère, et de tes joies brûlantes, pareilles à un jour d'été dans le lourd vent du sud.

A cause des regrets obscurs qui ne cessent pas de rôder dans tes yeux ;

à cause des désirs qui te montent au cœur et que tu ne sens pas même, comme le voyageur qui ne sent pas le soleil derrière lui avant d'en être fatigué ;

et à cause de cet exilé que nous vîmes jadis à Florence, qui tous les soirs, les bras croisés sur son manteau jaune, regardait derrière la ville le coucher du soleil.

A cause de tes gestes paisibles et de ton âme qui ne l'est pas ;

à cause de cette indiscrète passion dans une voix si douce ;

et à cause d'un corps si suave qui a purifié l'amour.

13

On croyait encore à l'été, et c'est l'automne. Une insinuante douceur s'est glissée le long des jours. Le ciel n'a plus la dureté du feu, ni la route ne danse à l'horizon entre deux toits de tuiles. Tout est calme. Un corbeau va d'éteule en éteule ; un maillet cogne au bout de la vigne, dans la hutte où sont les tonneaux ; entre les mottes du guéret frais, la harpe des fils de Vierge joue une mélodie d'éternelles fiançailles ; c'est l'époque où la jeune veuve, laissant éparpillées sur la table les lettres qu'elle relisait, va mettre des baisers de miel dans le cœur des roses-trémières.

Quelle discrétion dans l'enchantement, quel reposant bonheur ! Comme l'azur du ciel est touchant, avec l'insensible dégradation qui l'amène, derrière les arbres, à la couleur même de leurs feuilles ! comme la lumière est généreuse de se

poser partout avec une égale tendresse et, quand son éclat se
retire, de laisser après elle ce long rayonnement pur et tiède
qui, vivant sous la nuit jusqu'à la prochaine aurore, en est
comme l'immortelle substance et le chaleureuse nudité ! —
Ah, n'est-ce pas trop beau ? n'est-ce pas trop paisible et trop
riche ? N'est-il point de honte à venir se réfugier là, à demander là bénédiction et asile, quand on apporte nul grand
exploit à faire pardonner, ni gloire à dépouiller ni souffrance
à endormir ! Certes, je sais alors deux choses que j'envierais :
le tourment du héros qui ayant achevé son œuvre en est
devenu l'esclave et se sent tiré par elle, ou le paysan qui travaille du matin au soir et se repose le septième jour parce que
c'est dimanche... Mais la splendeur secrète de l'Automne
n'admet ni rébellion ni scrupule : comme la procession qui
arrête la foule dans les avenues, elle passe ! Voici les calmes
vendanges couronnant la plaine, le charretier qui debout dans
la voiture laisse de temps en temps retomber les rênes pour
souffler sur ses mains rouges la piqûre du brouillard, les basses grappes posées entre deux mottes, la fille qui contre son
sabot nettoie une serpe terreuse. Sécurité, silence ! On
n'entend pas un bruit. Ah, les chansons fades qui nous ber-
çaient de voyelles longuement traînées, elles ont dû rester là-
bas dans le jardin bleu : ici nul ne chante. Les songeuses qui
sous l'allée couverte passaient et repassaient sans oser traver-
ser la clairière de soleil, les mélancoliques qui chantent pour
ne pas pleurer, les solennelles qui ne veulent pas croire à ce
qu'elles chantent, et celle venue des bois, dont la voix était
comme un mousseron gonflé de buée lunaire ! Mais ici nul ne
chante. Le temps des grâces est bien fini ; c'est l'heure d'aller
voir dans le pressoir et dans la grange si la récolte a été
bonne ; tandis que les gestes, comme la feuille de noyer qui
semble avant de tomber peser la tiédeur autour d'elle, s'attar-
dent et se ralentissent, une voix se lève en nous, si suave et si
égale qu'on ne sait plus quand elle a commencé, et déjà le
cœur a cessé de redouter son propre bruit, et l'esprit apaisé
s'endort sur l'aile du silence, entre l'été et l'hiver, dans une
région incomparable.

14

D'abord, comme une perle qui rit dans son écrin de velours
rose, la légèreté de la joie éclairait le printemps. Puis ce fut
quand les grenadiers fleuris brûlaient sur la terrasse, et pareil
à une vasque de cuivre Août se creusait dans le plus bel
endroit de l'année. Puis tout d'un coup ce fut l'automne ;
douceur divine ! en descendant la rue, on entendait, derrière
une fenêtre close, un violon chanter.

15

Comme le prophète qui debout dans les lentisques élève ses
mains maigres vers la Jérusalem d'en haut, j'ai eu des désirs
qui sans cesse réclamaient leur ciel, et mon âme pour sortir de
ses gonds appelait tout haut les anges, comme une femme
soulevée par la douleur qui jette le nom de son amant perdu.
Mais aujourd'hui mon amour crie vers lui-même ! mon trop
beau, mon trop grand amour ! Longtemps je l'avais demandée, cette incorruptible tendresse plus profonde que les paroles ; je l'avais voulu, ce silence ; et j'ai pleuré de joie le jour
où, comme un navire qui sent sous lui descendre la marée, j'ai
entendu les vieilles volontés de mon être confusément se mettre en marche vers un monde nouveau. Hélas, félicité qui
maintenant me dépasse ! gémissements, balbutiements devant
cette grande chose vivante qui s'est logée en moi, cette bondissante, cette inexprimable lumière ! Ne m'abandonnez pas ;
pareil à un homme trop riche qui descend se faire des amis
dans la foule, voyez comme très pauvrement je vous tends les
mains. Ah ! mon cœur est perdu dans l'amour sans bornes, et
sa splendeur fait sa souffrance, comme le joueur de violon qui
sanglote à sa note la plus pure.

16

— Bonjour, Anne.
— C'est toi, Blanche ?
— C'est moi. Et c'est toi aussi, toujours la même, toujours

triste. Qu'as-tu ? Tu me rappelles les vieux automnes de
notre enfance, quand on se sauvait au moment du déjeuner
pour pleurer dans le fond des serres. Ah ! les rues sentaient la
corne roussie, les cavaliers avaient passé sous les balcons, les
laboureurs partis aux champs avaient laissé toutes les portes
ouvertes. « Qui donc, disions-nous, qui donc doit venir ? »
Nul ne venait ; notre parole, courant d'échos en échos,
n'atteignait même pas le bout du silence... Mais maintenant !

— Quoi, maintenant ?

— Regarde, regarde ! Ne te force pas à ne rien voir ! Les
fleurs de soleil sont larges comme des pierres de meules, et
tous les oiseaux du presbytère, affolés quand l'Angelus sonne,
viennent s'abattre sur elles et becqueter à même ; le jour est
doux comme le « Je vous salue, Marie » ; les blés sont hauts,
la première communion a été belle, tout le monde est content.
Il n'y a que toi.

— Il n'y a que moi.

— Tu es trop heureuse. Tu t'es vue si heureuse que tu n'as
pu tout de suite y croire, et même une fois bien reconnu, bien
senti ton bonheur, quand tu le tenais dans la main comme un
fruit dont on caresse le duvet, même alors il t'a semblé si formidable que tu lui cherchais sans cesse des raisons, et toute la
journée tu disais : Voici pourquoi, et voilà encore pourquoi.
Seulement, c'est comme les enfants qui ne peuvent pas comp-
ter bien loin : ils vont jusqu'à cent tout d'une traite, en riant,
sans reprendre haleine, puis, comme ils voudraient continuer
et qu'ils ne savent pas, ils pleurent. Tu pleures depuis l'instant où ton bonheur t'est apparu complet, parfait et plein,
sans autres motifs que soi-même ; car, comme celle qui aime
en secret, tu interrogeais chaque chose pour entendre parler
de lui, mais maintenant elles n'ont plus rien à te répondre, et
c'est pour toi comme s'il était mort.

— Peut-être.

— Moi, je ne suis qu'une petite fille. Je chante quand il fait
beau. Je chante le dimanche parce que c'est dimanche, et
encore le lundi si l'envie m'en prend ; et quand Jacques vient
à la ferme, je ne m'empêche pas d'être heureuse...

— Blanche, Blanche, il est bien vrai, tu n'es qu'une petite

fille. Il y a autre chose, Blanche, que d'être assise à côté de
Jacques tout un soir et de caresser sa barbe en voyant au-
dessus de sa tête la plus grosse étoile ; il n'y a pas que de
l'aimer lorsqu'il est là. Mais ce grand désir en nous, comme
un enfant qui tend les mains vers la lampe allumée, d'un bonheur et d'une joie durables ! Ce fleuve d'amour qui coule
dans nos cœurs, si large qu'il lui faudrait pour s'étaler en paix
le lit de l'éternité ! et alors, la détresse d'une voix immense
criant sans trouver d'écho ; la peur du lendemain ; ne pas oser
croire aux paroles parce qu'elles n'engagent que le présent ;
ne pas oser rien faire parce que tout sera défait ; ne pas oser
aimer, car on n'aimera pas toujours...

— Tu me fais penser aux fillettes qui ne trouvent jamais
belle leur poupée à moins de l'appeler reine.

— Écoute : quand j'avais quinze ans, j'allais rôder aux
lisières des bois, et souvent j'étais seule pendant tout un
après-midi ; à quatre heures j'avais faim ; je cueillais des noi-
settes et j'en mangeais, pensant qu'elles me feraient bien
attendre jusqu'au soir ; mais elles ne servaient qu'à me tromper, et l'instant d'après j'avais plus faim encore. Qui me donnera d'être rassasiée ? Ce n'est pas le bonheur qu'il me faut,
c'est le rassasiement ; une joie si drue qu'on en mangerait
toute la journée et qu'il en resterait pour la vie entière ! Un
secret amour si profond qu'il n'entendrait pas le bruit des
pendules !

— Je ne comprends pas. J'aime la pendule qui marche,
parce que, quand elle s'arrête, c'est comme si on était tout
d'un coup dans un autre monde.

— Mais le royaume de l'amour n'est pas de ce monde,
Blanche.

17

Les mains des saintes étaient pleines de charpie ; la jeune
sœur garde-malade lisait l'Imitation entre deux espaliers ; le
rouge-gorge venait se poser sur l'appui de la fenêtre, et l'on
disait que seul de tous les oiseaux il était monté avec le Christ

au Calvaire. Les cloches sonnaient. La semaine de Pâques approchait dans les églantines.

O mon enfance, ma longue enfance tiède comme du pain ! Je ne sais trop, Amour, si quand on parle d'elle vous devez encore élever la voix. Non, vos gestes repliés, vos regards les plus purs, et toute votre grande tendresse de prince malade, ne valent rien contre la sainteté de ce temps-là. Je vous aime, Amour ; vous êtes mon frère, et vous êtes pour moi comme un pré bleu fourmillant de rosée, un pré où l'on déroule avec de la rosée au visage ; mais dans ce temps-là c'était bien autre chose ! Il ne s'agissait même pas d'aimer, cela n'eût point suffi à tirer en nous la splendeur du monde qui s'y voulait éperdument répandre ; et certes je ne sais pas ce qu'il fallait, mais tout était pour nous comme une gerbe de foin qu'on porte à deux bras perdue dans son odeur profonde, et les journées étaient si calmes que nos cœurs n'avaient pas besoin de battre plus fort, et la vie ingénue était cependant solennelle, comme les enfants qui en revenant du bois ont aperçu le conciliabule des anges.

Vous ne connaîtrez jamais une telle richesse, Amour, ni une telle simplicité. Vous m'avez sevré de l'amitié des autres hommes, vous m'avez couronné d'orgueil, vous m'avez fait pleurer de douceur. Vous ne me donnerez jamais ce qui me fut donné jadis, cette paix céleste qui fut la mienne, cet immense abandon où l'on n'avait pas besoin de s'offrir pour provoquer une réponse, mais tout affluait dans nos cœurs comme on dit que jadis, quand les étés étaient plus chauds, les raisins, sans attendre le pressoir, d'eux-mêmes se crevaient dans les vignes !

Qu'on me laisse. Je suis malade. Qu'on n'essaie plus de me rendre heureux !

18

C'est comme une chambre où le soleil a donné, il y reste le goût de la chaleur.

RENÉ BICHET.
N.R.F., 1911, n° 27

Le livre de l'Église

A Charles Péguy

Les personnages du drame sont :

SIMON
LE PÈRE SUPÉRIEUR
UN PAUVRE
FRÈRE SAINT-JEAN
FRÈRE NICOLAS
FRÈRE THADDÉE
TROIS MOINES

Le décor représente une salle de monastère. Contre le mur de gauche, une haute stalle en bois massif ; au fond, une porte et six autres stalles ; à droite, deux grandes baies ogivales à vitraux en grisaille ; le bas de l'une d'elles peut s'ouvrir et former vasistas.

SCÈNE PREMIÈRE

LE PÈRE SUPÉRIEUR, LES SIX MOINES

(Au lever du rideau, la porte s'ouvre. Entrent les moines, dont chacun va se placer devant sa stalle, debout, les mains jointes, immobile.)

(Un silence)

LE PÈRE SUPÉRIEUR *(inclinant la tête.)* — In nomine Patris et Filii et Spiritus Sancti, amen. Pater noster.
LE PLUS JEUNE MOINE. — Et ne nos inducas in tentationem.
TOUS, *relevant la tête.* — Sed libera nos a malo, amen.

Le Père Supérieur. — Acte d'humilité.

Ier Moine. — Comme là-haut les saints, qu'ils implorent ou qu'ils maudissent, remplissent chacun exactement un fleuron de la grande rose, puissions-nous rester toujours à notre place et ne faire que ce qu'il faut.

Le Père Supérieur. — Acte d'ignorance.

2e Moine. — Comme les docteurs de l'ancienne Loi servent de pilier à la Loi nouvelle, et comme le père, tenant son fils sur ses épaules, ne s'inquiète pas de voir lui-même la procession, puissions-nous ne rien savoir, mon Dieu, que la glorification du siècle à venir.

Le Père Supérieur. — Acte d'espérance.

3e Moine. — Comme on voit, d'un vitrail à l'autre, Jésus répéter avec joie les plus belles attitudes des prophètes, puissent nos gestes être de ceux qu'aiment à reproduire les Anges et que le Seigneur reconnaîtra au matin du Jugement dernier.

Le Père Supérieur. — Mes frères, voici venir Pâques. Dans la cellule souterraine où je réside comme le pied du pilier central, ce matin, tandis que je lisais dans les Saints-Livres le récit de la Résurrection, la phrase « Et venerunt ad ostium monumenti orto jam sole » éveilla dans mon cœur une joie inexplicable et un obscur avertissement, et je fus comme ces mineurs qui, saisis d'une profonde nostalgie, ne peuvent s'empêcher de remonter s'ils sentent au fond de leur puits qu'il fait grand soleil sur la terre ! Je me souviens de la semaine des Rameaux dans mon enfance : les aubépines fleuries, l'école abandonnée pour le catéchisme d'une heure, les processions de jeunes filles qui arrêtaient au Calvaire la voiture jaune du boulanger. Depuis, ces années de misère et cette longue maladie m'avaient condamné à la solitude et au silence, et c'est à peine si j'ai pu célébrer la Noël ; mais Dieu soit loué ! avec le nouveau printemps renaît une prospérité nouvelle ; je l'ai entendu par ma fenêtre haute, les coucous chantent dans le seringa, les laboureurs mêlent leurs refrains aux cahots de la herse sur la terre battue ! Dieu, mes frères, nous invite à nous réjouir en lui et à lui préparer une belle fête. Dites-moi donc, frère Saint-Jean, où en sont les travaux, et faites tout votre rapport.

Frère Saint-Jean. — Mon Père, le seigneur des Granges a donné cette semaine une Sainte-Table. La châtelaine prêtera des robes blanches et des cierges pour la première communion aux filles pauvres qui n'en pourront pas acheter. Les enfants du petit catéchisme se réunissent chaque soir pour tresser des guirlandes, sous la surveillance du premier vicaire.

Le Père Supérieur. — Et l'église ?

Frère Saint-Jean. — Les dalles ont été lavées jeudi après la messe.

Le Père Supérieur. — Les statues sont-elles en place ?

Frère Saint-Jean. — Trois sur quatre : Saint-Georges dans sa chapelle, Jésus et les docteurs devant le pilier de gauche en regardant le maître-autel, Saint-Jacques enfant auprès du baptistère, — en sorte que l'on peut entrer par le grand porche ou par les tambours de côté, on voit toujours l'une ou l'autre des divines images, soit qu'adossée à une colonne elle reçoive en offrande le long reflet rose des vitraux, soit qu'au bord d'une allée elle se dresse blanche dans la pénombre, comme un pignon de ferme aperçu la nuit.

Le Père Supérieur. — Et Simon ?

Frère Saint-Jean. — Mon Père, nous avons exécuté vos ordres ; le jour, il travaille là-haut, sur son échafaudage, taillant Notre-Dame-des-Sept-Douleurs, et l'escalier est fermé sous ses pas à double tour ; la nuit, il dort dans une cellule auprès de la mienne.

Le Père Supérieur. — Que dit-il ? Parle-t-il de sa femme ?

Frère Saint-Jean. — Il ne dit rien, mon Père.

Le Père Supérieur. — C'est bon. Il faut qu'il reste seul. Si nous n'étions pas durs avec lui, il lâcherait son marteau. Tant pis pour lui. Jadis, au temps du peuple de Dieu, les saints et les prophètes vivaient comme tout le monde, avec tout le monde, et tous les jours au milieu de tout le monde faisaient leur besogne de sainteté, et même avaient besoin du monde pour en tirer la matière de leur œuvre divine, l'objet de leurs imprécations, la nourriture de leurs prières. Il n'y a pas longtemps encore, quand on bâtissait les cathédrales, ceux qui sculptaient les tympans et les voussures étaient des ouvriers comme tout le monde. Ils prenaient leur tâche au petit jour,

après un verre de vin, s'arrêtaient une heure pour manger, et
le soir rentraient auprès de leur femme ; ils travaillaient à
l'église comme leurs camarades à la carrière. Si quelqu'un
chez eux tombait malade, eh bien ! c'étaient des maçons
comme les autres, ils passaient auprès de son lit le temps
qu'on donne pour dîner, puis sur le coup d'une heure retour-
naient à leur marteau ; et si leur fils unique mourait, ils
demandaient une demi-journée pour l'enterrement, après
quoi ils retrouvaient le ciseau et le maillet sous le bout de
vieille bâche où l'on abrite les outils. Les jours en suivant, au
lieu de garnir les chapiteaux avec des démons rieurs et des
femmes-sirènes, ils sculptaient Saint-Michel consolateur ; et
voilà tout. Aujourd'hui, c'est bien changé. Quand on veut travailler pour Dieu, il faut se crucifier au monde. Le monde a
tout mangé, il a rongé tout le temps et toute la bonne volonté,
il a entamé la part de Dieu. Ce n'est pas notre faute, Seigneur, ce n'est pas nous les responsables. Depuis la fin des
grandes guerres, rien ne semble plus pénible que les ouvrages
de Dieu ; on ne les fait qu'en rechignant, par besoin d'argent,
par force, comme un voleur qui se résignerait à être honnête.
Nous n'y pouvons rien. Nous sommes bien forcés d'être durs.
Donnez-moi du moins, mon Dieu, la force d'y persévérer,
Vous qui êtes Celui de l'Ancien Testament, le Méchant,
l'Implacable, le Maître des Combats, le Meurtrier de la fille
de Jephté ! Et pour Simon, faites qu'il travaille, mon Dieu
faites qu'il travaille !

(La porte s'ouvre. Paraît sur le seuil Simon)

SCÈNE DEUXIÈME

LES MÊMES, SIMON

SIMON. *(de la porte, où il s'est arrêté)* — Mon Père... *(Il fait
quelques pas, et à voix plus haute :)* Mon Père, pardonnez-moi.

LE PÈRE SUPÉRIEUR. — Quoi ? qu'ai-je à pardonner ?

SIMON. — Voyez-vous, mon Père, Jésus au milieu des docteurs, Saint-Jean lorsqu'il ne connaissait pas encore le désert,
ou la Vierge toute petite avec sa couronne de pâquerettes,
— voilà des choses simples, des sujets qu'on taille dans la
pierre aussi tranquillement qu'on se coupe du pain. Mais
Notre-Dame-des-Glaives...

LE PÈRE SUPÉRIEUR. — Eh bien, mon fils ?

SIMON. — C'est une œuvre de saint que vous m'avez
demandée là ? Je ne peux pas, je n'aurais même pas dû commencer, j'ai menti en acceptant ! Mon Père ! n'y aviez-vous
pas songé ? Mater Dolorosa ! De tous les personnages de la
Passion Elle qui a le plus souffert ! Elle qui a souffert en son
Fils, qui l'a vu mourir et n'a même pas eu, comme lui, cette
préoccupation d'une longue besogne mise en train, cette
inquiétude du semeur qui laisse le grain dans la terre et qui
s'en va ! Elle qui au bas de la croix, pendant qu'il tirait à lui
toute la méchanceté humaine, qu'il prenait toute la douleur
humaine et s'en faisait un aliment pour son humble gloire,
Elle qui oubliait en lui le Dieu pour pleurer l'enfant ! Comment voulez-vous qu'un homme puisse représenter ça ? Il y
faudrait ses frères les Saints, ceux qui là-haut l'entourent
comme une grande sœur, ceux qui, à force de ressentir les
angoisses de Jésus, ont été nommés les Parents du Christ et
ont reçu dans leurs mains la marque des clous et au sein gauche le caillot de la lance... Mon Père, ayez pitié de moi !

LE PÈRE SUPÉRIEUR. — De tels sentiments, mon fils, hono-
rent la pureté de ta foi ! Mais ne t'abandonne pas à ta faiblesse ; Dieu te donnera le courage nécessaire, si tu pries.

SIMON. — Oh prier ! je ne sais plus comment il faudrait s'y
prendre.

LE PÈRE SUPÉRIEUR. — Que dis-tu ? Ne pries-tu pas tous les
jours ?

SIMON. — Le soir, mon Père, je suis trop las. Et le matin,
quand en ouvrant les yeux je vois sur le mur cette fleur d'iris
où le soleil ne manque jamais de passer, je suis comme un
homme à qui l'on a fourré des pièces d'or dans la main :
moins il en devine le nombre et plus il se sent riche !

Le Père Supérieur. — Païen !

Simon. *(bas)* — Oui, je suis un païen. *(Plus haut et presque en colère)* Oui, je suis un païen. Et je n'en ai pas honte, après tout.

Le Père Supérieur. — Traître !

Simon. — Ah ! quel est le traître, de nous deux, ou plutôt quel est le faible ? Homme à la vue courte, berger qui ne veut pas reconnaître qu'il a laissé entrer le loup ! Mais pourquoi pensez-vous donc que je vive dans l'église, et que je l'aime ? A cause que l'on y voit Dieu ? c'est à cause de ses pierres et de ses statues, à cause de la chanson de ses voussures, douce comme le violon de l'exilé quand ouvrant sa fenêtre il joue vers la mer, à cause de Salomé parce qu'elle danse sur les mains, et de Moïse lorsque, doré par le couchant, il semble descendre du Sinaï au crépuscule ! J'aime le double rayon d'or balancé d'une fenêtre à l'autre, et qui fait, en tapant les dalles, jaillir un flocon d'encens, comme on dit que la main des Saints fleurissait les roses ! J'aime les vitraux, pareils aux épées levées des archanges ; j'aime les toits verdis ; et voulez-vous que je vous dise, mon Père ? le calice, le grand calice d'or qui disparut à Noël... c'est moi.

Tous. — Comment ? Comment ? Qu'a-t-il dit ? Blasphème !

Simon. — Il suffit que la porte du tabernacle ait été mal fermée ! On n'a qu'à lever la main, comme pour prendre le pot de sel sur l'étagère, et voyez donc ce qu'on rapporte chez soi : ce merveilleux ciboire, pourpre et doré, un peu vert dans les reflets, avec son blason seigneurial que ronge maintenant une tache en forme de cœur ! Il est sur une table ; le soleil tourne autour de lui ; je le prends, je le caresse, je l'élève dans la lumière du couchant comme un verre !

Un Moine. — Faites-le taire !

Simon. — A la fin, je parlerai plus haut que vous, mes maîtres ! Vous êtes là dans vos stalles, le chapelet au côté, pensant que moins vous bougerez et plus vous me ferez peur. Mais regardez donc mes armes : qui parmi vous m'en montrerait d'aussi belles ? Le marteau, et le ciseau ! le marteau solide, bien emmanché, et le ciseau tellement docile que l'on peut en travaillant chanter sans crainte, on le trouve, à la fin du couplet, tout juste où il devait être ! Voilà ma force ; je n'en connais point d'autre, et ne fais nul cas de vos méchants yeux noirs ni de vos gestes de malédiction ! Et maintenant, comme un roi vainqueur qui dit à son ennemi : « J'ai deux armées de troupes encore fraîches ; fais donc la paix et cède à mes exigences, » vous, écoutez ce que je veux : je veux ma liberté !

LE PÈRE SUPÉRIEUR. — Non.

SIMON. — Je me tourne vers vous, mon Père, comme les hommes d'Orient, lorsqu'ils implorent, vont droit au plus grand de leurs dieux. Je veux ma liberté ! Vous m'avez enfermé comme une hirondelle, et j'ai besoin de l'air et du vent ! Croyez-vous, mon Père, que je travaille, là-haut, sur mon échaufaudage, entre mes quatre murs de toile ? Il y a aujourd'hui une semaine que je n'ai rien fait, et je ne parle pas des jours où je laissais le ciseau sur le marbre faire une éraflure, pour suivre ce minuscule pigeon rose qui allait toujours se poser sur la fenêtre de ma maison ! Si vous voulez que votre statue soit terminée...

LE PÈRE SUPÉRIEUR. — Je croyais vous avoir dit, mon fils, et plus d'une fois, que vous ne seriez pas libre avant le dernier coup de marteau. Dieu, mon fils, lorsqu'il créa le monde, ne s'est pas interrompu, ne s'est pas reposé avant d'avoir fini. — Vous savez que l'image douloureuse de Notre-Dame doit être dédiée le saint jour de Pâques.

SIMON. — Vous ne l'aurez pas, je la pilerai comme un œuf !

LE PÈRE SUPÉRIEUR. — Vous êtes emporté, Simon, et il est dit : Ne demandez rien à l'homme en colère. Je me retirerai donc et vous laisserai reprendre vos esprits, en suppliant Dieu que ce soit bientôt.

SIMON. — Non, ce ne sera pas bientôt ! non, ce ne sera pas tout de suite ! Voilà trop longtemps que le courroux me mordait la gorge, et que le désir de l'aveu me secouait comme une baraque en planches ! Je veux ma liberté !

LE PÈRE SUPÉRIEUR. — Laissez-moi vous redire, mon fils, une prière que j'inventai le jour de mon ordination. Je venais de faire le pas solennel qui pour l'éternité me consacrait prêtre et servant, et j'étais revenu à ma place, le cœur retentissant des paroles de Melchissédech ; alors je dis : « Merci, mon Dieu, de m'avoir conduit jusqu'à vous, comme une mère qui attendait son fils derrière la porte et qui le mène sans rien dire à la table servie. Je jouis de n'être plus libre ; je suis heureux, Seigneur, de n'être plus mon maître ; je ne veux plus, je ne supporte plus d'être mon seul maître. Voici qu'une compagnie m'a été donnée, plus impérieuse que les amitiés de mon adolescence ; un souffle d'air s'est ému pour moi dans le fond du monde ; un signe a été fait, afin que je ne reste pas seul. Maintenant j'ai place dans la chaîne, je tire et je suis tiré, je ne suis plus libre ! Merci, Seigneur, de m'avoir enchaîné pour toujours ! » — A présent, Simon, venez, et voyez. (*Il le mène à l'une des grandes fenêtres, et ouvre la baie du bas*) C'est le soir entre deux saisons. L'église a fermé son vantail, déjà les reflets d'or ont sûrement quitté le tabernacle et l'ange annonciateur, sur le bord de la toiture, est comme un laboureur qui s'avance au bout de son champ pour voir se coucher le soleil ! Le jour s'en va lentement ; comme Jésus en se retournant illuminait le front de ses disciples avec le sourire de la grâce, il enveloppe d'or pâle la cathédrale tout entière, depuis le Moïse du portail jusqu'à ces statues blanches du sommet de la tour, pareille aux chanteuses dans la tribune. Ce n'est plus l'hiver, et ce n'est pas l'été encore. Le monde, entre les veillées laborieuses de décembre et le travail de juin qui bientôt fera sortir les moissonneurs avant l'aube, le monde est absous du péché ; les hommes délivrés se promènent ; Dieu n'a plus la force de son empire, comme les parents qui le jour de l'Assomption n'osent pas gronder leur fille. Va, sors, prends part à cette indépendance !

SIMON. — Ne me tentez pas, mon Père !

LE PÈRE SUPÉRIEUR. — Je te délie ! va profiter de la trêve ! Les femmes qui dansent dans les carrefours, va leur dire pourquoi elles se sentent si joyeuses ! Monte chez toi, prends ton enfant par la main, va jouer avec lui sans même enlever à ton front cette poussière de marbre !

SIMON. — Grâce !

LE PÈRE SUPÉRIEUR. — Le ciel jaune clair au bout des rues,

et la femme aimée qui appelle comme une tourterelle ! Pourquoi n'es-tu pas parti ?

SIMON. — Et la statue, mon Père ?

LE PÈRE SUPÉRIEUR. — Pars, sois donc libre !

SIMON. — Et la statue ?

LE PÈRE SUPÉRIEUR. — Va, Simon ! Adieu, mon fils !
Ouvrez-lui la grande porte.

(Il sort, suivi des moines)

SCÈNE TROISIÈME

SIMON, FRÈRE THADDÉE

*(Pendant que les moines sortent, Simon reste immobile, les
yeux baissés ; il relève la tête au moment où Frère Thaddée, le
dernier, va passer le seuil, et l'arrête alors par la manche. Il fait
signe que NON, avec un sourire).*

SIMON. — Non. On ne me prend pas comme un enfant. Il y
perdra plutôt ses forces, il ne réussira pas à m'entamer.
Quelle naïveté ! Il est aussi naïf et aussi neuf qu'un prince
héritier qui devient empereur ! Il croit m'avoir épouvanté, il
s'imagine que je resterai par peur de lui. Mais je resterai, oui,
mais parce que je veux bien, pour lui montrer que je ne suis
pas dupe, et à cause, à cause de quelque chose qu'il ignore.
— Regarde-moi ; je vais te confier un secret.

FRÈRE THADDÉE. — A moi, maître ? Vous ne me connaissez
pas.

SIMON. — Qu'a-t-on besoin de se connaître ? On est deux
voyageurs qui se rencontrent après le coucher du soleil et qui
vont dormir dans le coin d'une meule, et l'on se dit tout. Toi,
Thaddée, si ton roi te venait voir au bout de ton labour et te
demandait avec douceur nouvelles de ta santé, lui dirais-tu
que ton frère est malade, que ta dernière fille a été sevrée
depuis deux jours, que la noce de ton cousin se fera au

moment des vendanges ? Il y a des choses qui ne regardent pas le roi. Tu balbutierais « Sire », en remuant gauchement les doigts sur la manche de ta charrue. Eh bien, voilà. Lui, c'est ainsi. Impossible de lui raconter tout. C'est une espèce de général, deux mains coupantes, deux petits yeux murés par des œillères.

FRÈRE THADDÉE. — Alors... ce que vous lui avez dit ?

SIMON. — Je crois bien que je lui ai menti d'un bout à l'autre. J'ai été un terrible bouffon ; à la fin, je ne me rendais plus compte de rien. Et maintenant encore... je ne sais pas, je ne sais pas ! Par moments je suis comme le pêcheur qui s'avance au large du golfe dans sa barque paisible, et tout d'un coup il sent sous lui, pareille à un bœuf qui se lève, la lourde oscillation de la mer entière ! Mais d'autres fois, parlant pour m'étourdir, c'est comme lorsqu'on raconte un rêve, il était immense pendant qu'on le rêvait et à présent ce n'est plus rien.

(Silence. Thaddée fait quelques pas vers la fenêtre et paraît vouloir la fermer)

SIMON. — Ne ferme pas la fenêtre !... Attends ! *(Il le prend par le bras et le mène à la vitre ouverte)* Approche-toi ! que vois-tu ?

FRÈRE THADDÉE. — Où ?

SIMON. — Devant toi, dehors.

FRÈRE THADDÉE. — Je vois tout ! La nuit qui s'approche, la grande rue qui descend vers la mer, et dans le bas, glissant sur l'eau invisible, de hauts bateaux pleins de soieries, pareils à la flotte d'Hiram lorsqu'elle revint chargée d'érable !

SIMON. — Ce n'est pas ce que je te demande. Plus près, dans la ruelle... là, là...

FRÈRE THADDÉE. — Je vois votre maison rouge.

SIMON *(avec impatience)*. — Eh bien ?

FRÈRE THADDÉE. — Je vois votre maison, maître ! Deux croisées enguirlandées de volubilis, une glace qui reluit dans le fond d'une chambre, et dans la cour, derrière ces longues vitres, des statues ! L'asile du pacifique et l'atelier du travailleur ! Tout est là : pendant qu'il s'acharne contre la pierre, dessinant au front de Job la place des rides ou sur les lèvres de

Lazare l'engourdissement de son formidable réveil, en haut le
chat boit dans un pot cassé et le petit enfant s'endort dans sa
haute chaise ! Bénédiction ! Et la maison, bâtie à l'occident
du village, reçoit la première le couchant, lorsqu'il entre dans
la rue comme un ange et comme un poète !

SIMON. — Que vois-tu encore ?

FRÈRE THADDÉE. — Rien. Il va bientôt faire nuit.

(*Silence*)

SIMON. — Je te dirai donc, moi, ce que j'ai vu tout à
l'heure : un prêtre dans mon atelier, trois femmes en noir qui
parlaient devant ma porte. Mon frère, mon frère, dis-moi...

FRÈRE THADDÉE. — Quoi donc ?

SIMON. — Tu ne comprends pas ?

FRÈRE THADDÉE. — Non.

SIMON. — Ah ? ils ne t'ont pas dit ? Ma femme est malade.
Ils croient que je n'en sais rien, mais je le sais ; elle est malade
depuis les deux mois que je suis enfermé ici.

FRÈRE THADDÉE. — Maître, comment pouvez-vous... ?

SIMON. — Mon pauvre ami ! et la fente de la toile, là-haut,
où je colle mon œil du matin au soir, et la fenêtre de sa chambre que je vois toujours éternellement vide ! je te dis qu'elle
ne se lève même plus.

FRÈRE THADDÉE. — Elle travaille auprès du poêle.

SIMON. — Comme si elle pouvait faire autre chose que sa
broderie de géraniums, et alors il faudrait bien, n'est-ce pas,
qu'elle reste auprès des fleurs pour trouver le juste mélange
des laines ! Non, non, je sais ce que je dis : l'ouvrage est resté
sur une chaise, le lit n'a pas été fait depuis deux jours, et
l'enfant, qui s'était assoupi après dîner, a été réveillé par le cri
des martinets. Je vois tout comme si j'y avais été : le bâille-
ment, le pelotonnement sous les couvertures, personne pour
fermer la fenêtre... Ah l'horreur ! j'ai le froid de sa mort dans
tous mes membres !

FRÈRE THADDÉE. — Maître, permettez-moi...

SIMON. — Quoi ? Que veux-tu ? Ah, ah ! le voici qui va me
consoler ! Petit frère, race de moines, race de consolateurs !
c'est le prêtre qui montre le bout de l'oreille, hein, jeune
homme ?

FRÈRE THADDÉE. — Oh ! je ne suis point assez généreux
pour vous prêter mon bonheur, ni assez vil pour croire que
vous ayez besoin de mon bavardage ! Mais comme vous
m'ordonniez, tout à l'heure, de vous regarder en face, c'est
moi maintenant, c'est moi qui voudrais vous tourner la tête de
mon côté, vous prendre la tête entre les mains pour la tourner
par ici et pour voir vos yeux ! Il me semble — pardonnez-moi,
je ne suis qu'un enfant qui ne connaît rien — il me semble
que je lirais votre visage comme les premiers temps où je
lisais mon bréviaire...

SIMON. — Tiens, me voici, contemple-moi tant que tu voudras, comme une bête curieuse. Ai-je bien l'air de souffrir ?
Vois-tu, mon frère, je ne crains pas la mort ; je n'ai pas peur
d'un visage sans yeux derrière une rangée de cierges ; mais
que je me sois couché le soir comme d'habitude, que j'ai
dormi comme les autres nuits, et que tout se soit passé pendant ce temps-là — comprends-tu ? peut-être que j'ai rêvé
tranquillement, comme une jeune fille — c'est absurde, c'est
aussi révoltant que le mur de pierres sèches où l'on se cogne
la tête quand il fait noir, et j'ai honte, j'ai effroyablement
honte !

(*Il se passe la main sur les yeux et frissonne. — Entre frère
Nicolas.*)

SCÈNE QUATRIÈME

SIMON, FRÈRE THADDÉE, FRÈRE NICOLAS

FRÈRE NICOLAS. — Maître, notre Père supérieur
m'envoie...

SIMON. — Comment ! est-ce vous, frère Nicolas ? oh ! vous
êtes le messager de Dieu, mon frère ! N'êtes-vous pas venu,
une fois déjà, m'annoncer la mort de mon neveu, le jeune
héros tué dans le coin d'une vigne alors qu'il se soulevait pour

monter à cheval ? Et de nouveau vous voici ! comme le men-
diant qui repasse deux jours de suite à la même heure !
comme les anges qui se montrèrent deux fois aux portes de
Sodome ! Allons, c'est bien, c'est bien. Ne pleurez pas, ne me
volez pas mon rôle, voyons ! Paix ! essuyez ces yeux, enfant !

FRÈRE NICOLAS. — Maître, notre Père demande s'il peut
venir.

SIMON. — Oui. Va le chercher, va ! Tenez, allez tous deux.

(Ils sortent)

SIMON, resté seul. — Je suis comme un jeune homme ivre
qui se raidit pour parler à ses parents.

(Entrent le Père Supérieur et les autres moines)

SCÈNE CINQUIÈME

SIMON, LE PÈRE SUPÉRIEUR, TOUS LES MOINES

LE PÈRE SUPÉRIEUR. — Dieu vous ait en pitié, mon fils !
Quant à moi, j'ai bon espoir dans votre courage.

SIMON. — Le courage est aisé, mon Père, s'il n'y a point
d'arrière-pensée : on regarde son chagrin solidement en face,
comme un taureau rencontré dans un chemin creux, et on le
prend par les cornes ; c'est simple. Mais quand il faut encore
songer à autre chose, quand on est comme une mère qui est
partie aux champs sans avoir eu le temps de mettre sa fille sur
le chemin de l'école... Laissez-moi aller enterrer ma femme !
Je n'exige plus, voyez, j'implore ! Laissez-moi sortir une
heure ! Une heure seulement, et je reviendrai me mettre au
travail ! Une heure au petit jour, au moment où d'habitude je
ne suis pas encore levé, comme ça je ne perdrai pas de temps !
une heure prise sur mon sommeil !

LE PÈRE SUPÉRIEUR. — Non.

SIMON. — Pour vous, qu'est-ce que c'est, une heure ? mais
vous êtes là toujours avec vos « non », comme un chef qui

n'admet point de remarques ! Mon Père, qui ne méritez même plus ce titre !

LE PÈRE SUPÉRIEUR. — C'est la dureté du père qui fait la vaillance des enfants.

SIMON. — Savez-vous ce que c'est, un enfant ?

LE PÈRE SUPÉRIEUR. — Je sais ce qu'est un homme.

SIMON. — Je me moque d'un tel savoir ! Je ne connais que le grondement en moi de la supplication, comme le sanglot qu'on sent monter du fond du corps avant qu'il ne crève ! Me garderez-vous ainsi devant vous, hésitant à me prosterner parce que si je me laisse aller je fondrai en larmes ! Ah ah ! c'est à grand-peine que la croix rouge du sang me soutient debout encore, et je ne pourrai pas parler si je ne criais pas ! Mais vous-même, mon Père, par pitié, rappelez-vous...

LE PÈRE SUPÉRIEUR. — Quand j'ai perdu ma mère, sache que j'étais au couvent, et qu'on ne m'a pas permis de sortir ; le matin de l'enterrement, à la messe des novices, le supérieur m'a fait mettre au banc de pierre des confessés, tout seul, pour mieux prier.

SIMON. — Oh ! et ce soir c'était vous qui vouliez m'ouvrir les deux battants !

LE PÈRE SUPÉRIEUR. — Je ne savais pas alors que ta femme était morte.

SIMON. — Que je la voie, que je touche son front ! que je sois auprès d'elle pour la pleurer ! que je lui jette la première goutte d'eau bénite ! Mon Père, mon Père !

LE PÈRE SUPÉRIEUR. — Mon fils, il est écrit : Laissez les morts ensevelir leurs morts.

(La porte s'ouvre lentement. Entre un moine, tenant par la main un pauvre.)

SCÈNE SIXIÈME

LES MÊMES, UN MOINE, UN PAUVRE

Le Père Supérieur. — Qu'est-ce là ?

Le Moine. — Mon Père...

Simon. — Tout à l'heure, mon ami, tout à l'heure. Qu'on nous laisse tranquilles pour l'instant ! Nous sommes occupés, nous avons de l'ouvrage, allez-vous-en. Allons, allez-vous-en !

Le Père Supérieur. — Simon !

(*Simon se retire à l'écart*)

Le Père Supérieur (*au pauvre*). — Parlez sans crainte, mon fils, vous êtes ici chez vous.

Le Moine. — Il dit qu'il est sans travail depuis deux semaines.

Le Pauvre. — Deux semaines et un jour, mon Père, c'est la vérité du Bon Dieu. Vous savez, depuis la guerre, il ne manque pas d'usines qui sont restées fermées, ou alors, au lieu de cinq cents ouvriers, c'est cinquante qu'il en faut, et pour ne pas les laisser à jouer aux dés devant les machines pleines de cambouis, on en renvoie quelques-uns tous les jours, par petits tas. Et puis, moi, dans toutes ces batailles là-bas, j'ai peut-être appris à déchirer des cartouches, mais j'ai oublié comment on fait pour assembler des mortaises. Bref, voilà, j'ai faim.

Le Père Supérieur. — On va vous conduire au réfectoire. Mais, dites-moi, vous n'êtes pas de ce pays-ci ? Vous êtes donc seul au monde ?

Le Pauvre. — Ma femme est morte comme j'étais de l'autre côté de la frontière.

Le Père Supérieur. — C'est bien. Allez.

Simon (*brusquement*). — Non, ne sors pas ! Ecoute... Quand tu es rentré au village... la maison vide, n'est-ce pas ? Toutes les portes ouvertes, l'horloge arrêtée, un vieux bout de cierge tombé au bas du lit ?

Le Pauvre. — Oui. Elle n'avait point de parents de ce côté-là, elle est morte toute seule. Pense donc, on n'a même pas su me dire l'endroit où elle était enterrée ! Alors... comment expliquer ça ? Un insurmontable dégoût, comme à la messe lorsqu'on est fatigué et que le chant du petit orgue vous endort ; et puis tout d'un coup, après une semaine d'abrutissement et de larmes, je me suis senti aussi fort que le soleil ! Je suis revenu dans mon pays, aux bords de la Loire, et là j'ai trouvé à m'embaucher. Des ouvrages durs. Douze heures par jour, mal nourri. Bah ! je ne demandais pas mieux ! Dans les premiers temps, quand je me voyais travailler comme un furieux, je me disais que ça ne pouvait pas durer : eh bien, regarde donc, ça a duré tout de même...

Simon. — Tous les jours, toute la journée ?

Le Pauvre. — Bien sûr, de dix heures du matin à sept heures du soir. Ah là ! j'ai connu de tous les métiers, menuisier, charron, maçon, tailleur de pierres ; qu'est-ce que ça fait, pourvu qu'on ait de quoi couper, creuser et mordre ? Tiens, le bois de chêne, avec ses longues fibres, on pousse la varlope là-dessus comme si on caressait un miroir avec le plat de la main, et les copeaux couleur de noisette s'enroulent si facilement, qu'on resterait des heures à les regarder, comme on regarde couler l'eau. D'autres fois, c'est des planches d'érable, toutes rouges, ou des planches de sapin, pâles comme une fille des rues. — Qu'est-ce que tu fais, toi ?

Simon. — Sculpteur.

Le Pauvre. — C'est un métier béni ! Le marbre, la terre glaise, le plâtre qu'on remue comme un boulanger ! Connais-tu toutes les pierres ? Celles des carrières de chez nous, qui sont molles, capricieuses, pleines de manques, et celles du Centre, qui jaillissent du feu sous le marteau ? Et le métal, connais-tu le métal ? Ça alors, c'est franc, rude, coupant, c'est comme une machine qui marche sans s'occuper de rien, ça fait peur comme un aveugle... Tout est bon à travailler ; l'important, c'est d'avoir de la matière ; n'importe laquelle ; on répète toute la journée le même mouvement du bras, sans penser à autre chose qu'à ne pas aller trop loin et à ne pas faire d'encoches, et petit à petit on sent venir la fatigue, et quand on se repose une minute pour chercher l'heure, on s'aperçoit qu'il est une heure quelconque — ni midi, ni le

soir, ni aucun des grands moments de la journée — une heure
sans heure, quoi, qu'on regarde comme un coin de rue où l'on
ne doit pas s'arrêter, et on continue, mon ami, on continue !
La vapeur siffle, les courroies tremblent, les contremaîtres
vont et viennent avec des carnets noirs dans la main...

SIMON. — Et la tombe sans fleurs, là-bas, au cimetière ?

LE PAUVRE (*avec un haussement d'épaules*). — Peuh ! Ce
n'est pas un pied de fuchsias qui la ressusciterait, hein ?
Alors...

SIMON. — Oh ! déjà tu ne penses plus à elle !

LE PAUVRE. — Il faut avoir des loisirs pour penser aux
morts. Moi, je n'ai pas le temps, j'ai trop faim.

(*Il se retourne et fait un pas comme pour sortir. Simon le
retient.*)

SIMON. — Reste donc ! Tout à l'heure tu mangeras.

LE PAUVRE. — Que veux-tu ?

SIMON. — Chut ! (*Il lève le doigt pour faire signe d'écouter ;
par la fenêtre ouverte on entend des cloches, et il les nomme l'une
après l'autre*) L'église de la Chapelle ; le couvent d'Eprevil-
liers ; ah, le monastère Saint-Damien.

LE PÈRE SUPÉRIEUR. — C'est le salut qui sonne, marquant
le commencement de la nuit. Nous veillerons, mes frères, et
nous prierons pour ceux qu'il faut sauver.

SIMON (*à lui-même*). — Bon, les voici maintenant qui parlent tous à la fois, comme des tourterelles dans un tilleul. Le
vent est à l'est ; demain matin il fera beau, et l'on verra encore
le frère jardinier se promener au milieu des choux en cassant
les fils de la Vierge avec le bout de ses sabots jaunes. Tant
mieux, car ce n'est pas la besogne qui manquera : des coups
de marteau à donner, des mesures à prendre, des prières où il
faudra mettre toute l'ardeur d'une tête reposée... Allons
dormir.

LE PÈRE SUPÉRIEUR. — Quoi, Simon, est-ce vous qui parlez
ainsi ?

SIMON. — Est-ce vous, mon Père, qui proposez de veiller ?
qu'y a-t-il donc ce soir ? un grand malheur menace-t-il de
nouveau la patrie, ou si la maison de Dieu ne peut plus se garder elle-même, que les serviteurs doivent rester debout

jusqu'au jour comme des chouettes ? Cependant tout dort ; la mère s'endort sur son aiguille, le front lourd du bourdonnement de la lampe ; le sacristain remet la clef du clocher sur les fonts baptismaux ; le veilleur de nuit dans l'usine éteint la dernière lumière et se couche sur un sac auprès du moteur... Ecoutez ! c'est fini ; le vent retombe avec le dernier son, et c'est l'heure où les morts n'ont plus l'air de vivants qui sommeillent en plein jour... (*Il tourne la tête vers le Père Supérieur et aperçoit dans ses yeux des larmes*) Qu'avez-vous, mon Père ?

LE PÈRE SUPÉRIEUR. — Je pleurais, je l'avoue ; à cause qu'une grande joie m'est donnée avec une grande surprise.

SIMON. — Ne parlez pas comme s'il venait d'arriver un miracle. Elle-même vous le défendrait, elle qui vivait aussi doucement qu'une flamme de bougie et qui aimait à la folie les choses ordinaires. Ne croyez pas qu'il ne se soit rien passé, et ne vous occupez même pas de chercher frère Saint-Jean pour qu'il m'enferme dans ma cellule. Silence, mon Père, silence ! Ce sera ce soir comme autrefois, si vous le voulez bien, comme avant que vous ne m'ayez emprisonné, lorsque c'était moi, le cœur plein de mon ouvrage, qui parfois vous priais de ne pas me laisser sortir. — Je suis las ; je pense que je vais dormir comme une pierre. Mais je vous demande, par grâce, de me faire éveiller demain au petit jour, parce que j'ai perdu du temps aujourd'hui et que j'ai beaucoup d'ouvrage. Me l'accorderez-vous, mon Père ?

LE PÈRE SUPÉRIEUR. — (*Il s'agenouille, et dit dans un murmure :*) Que votre volonté soit faite.

RIDEAU

RENÉ BICHET.
N.R.F., 1911, n° 32

Index

344

Table des matières

— ACHEVÉ D'IMPRIMER —
SUR LES PRESSES DE
L'IMPRIMERIE
CARLO DESCAMPS
CONDÉ - SUR - L'ESCAUT
POUR LE COMPTE
DE LA LIBRAIRIE
ARTHÈME FAYARD
75, RUE DES SAINTS-PÈRES
PARIS VIe

35.33.7521.01
ISBN 2-213-01748-4
Dépôt légal : mai 1986
N° éditeur : 1240
N° imprimeur : 4179

	DATE DUE		